Diga SIM para a Vida

Maruscha Magyarosy

Diga SIM para a Vida

Meditação dos Cinco "Tibetanos"®
Exercícios para o Corpo, o Espírito e a Alma

Tradução
LUIZ A. DE ARAÚJO

EDITORA PENSAMENTO
São Paulo

Título original: *Das heilende JA.*

Dados Internacionais de Catalogação na Publicação (CIP)
(Câmara Brasileira do Livro, SP, Brasil)

Magyarosy, Maruscha
Diga sim para a vida : meditação dos cinco "tibetanos"® : exercícios para o corpo, o espírito e a alma / Maruscha Magyarosy ; tradução Luiz A. de Araújo. – São Paulo : Pensamento, 2005.

Título original: Das heilende JA.
Bibliografia.
ISBN 85-315-1377-4

1. Espírito e corpo - Terapias - Obras de divulgação 2. Meditação 3. Saúde - Obras de divulgação 4. Saúde - Promoção 5. Vitalidade - Obras de divulgação I. Título. II. Título: Meditação dos cinco "tibetanos"®. III. Título: Exercícios para o corpo, o espírito e a alma.

05-0417 CDD-615.852

Índices para catálogo sistemático:
1. Exercícios para o corpo, o espítito e a alma :
Terapias alternativas 615.852

O primeiro número à esquerda indica a edição, ou reedição, desta obra. A primeira dezena à direita indica o ano em que esta edição, ou reedição, foi publicada.

Edição	Ano
1-2-3-4-5-6-7-8-9-10-11	05-06-07-08-09-10-11

Direitos de tradução para a língua portuguesa
adquiridos com exclusividade pela
EDITORA PENSAMENTO-CULTRIX LTDA.
Rua Dr. Mário Vicente, 368 — 04270-000 — São Paulo, SP
Fone: 6166-9000 — Fax: 6166-9008
E-mail: pensamento@cultrix.com.br
http://www.pensamento-cultrix.com.br
que se reserva a propriedade literária desta tradução.

Impresso em nossas oficinas gráficas.

O teu espírito vive em busca
de um remoto objetivo no exterior,
de uma meta, cujo ponto de chegada é a tua aspiração.
Mas a verdade é que — malgrado os tantos descaminhos externos —
o ponto de chegada se acha em ti, nas profundezas do teu corpo.
Lá encontras o teu segredo mais íntimo,
pelo qual vale a pena empreender a caminhada.
Ele dorme escondido no fundo do teu coração,
no fundo de cada célula do teu corpo,
em cada recesso da tua consciência.
O SIM a ti mesmo te dá apoio.
É a palavra mais eficaz.
O veículo mais seguro
rumo à etapa importante da jornada da vida,
para que te aproximes do teu segredo mais profundo
e de ti mesmo...

Sumário

Prefácio ... 9
Introdução: dizer SIM para mim mesmo ... 11
Ser ou parecer ... 13
O SIM que cura ... 15
Dizer SIM para o meu corpo ... 21
A mensagem que está por trás das palavras ... 25
Os Cinco "Tibetanos"® — agora de modo bem diferente . 27
Wu-Wei — o milagre da impremeditação ... 29
A boa forma exterior e a interior ... 30
O EU SOU é a sua verdadeira natureza ... 31
Como praticar? ... 33
Dizer SIM para os meus sentimentos ... 47
Busca, vício e aspiração ... 50
Sondagem e afirmação dos sentimentos básicos ... 51
Dizer SIM para a minha respiração ... 59
O espírito a casa torna ... 65
Basta o simples respirar consciente ... 66
Respiração, pensamento e sentimento ... 69
Ampliar o coração e o horizonte ... 76
Dizer SIM para os meus pais ... 81
Liberte a sua sombra mascarada ... 84
A força do perdão ... 91

Dizer SIM para a própria essência 97
A libertação do coração 99
O nascimento da alegria 102
A inteligência do coração 106
Conclusão 113
Apêndice 115
Lista de exercícios 115
Bibliografia 119

Prefácio

Nós temos o hábito de dizer SIM sempre que se trata da saúde — da nossa saúde —, mas será que a queremos de fato? O que dizem os pensamentos que estão por trás dos pensamentos que estão por trás dos nossos pensamentos?

O SIM à saúde e à cura é aparentemente tão óbvio quanto o amém na igreja. Afinal, quem há de dizer NÃO espontaneamente, em alto e bom som, quando o que está em jogo é a própria saúde, a cura de doenças como o câncer, a Aids ou outros estados ameaçadores?

No âmbito do nosso desenvolvimento sociocultural, o NÃO parece ser um recuo, a própria negação de todas as conquistas da medicina moderna — seja nos métodos convencionais, seja nos alternativos. Dizer NÃO significa desacreditar e atacar de frente todos aqueles que tanto se ocupam de nós.

Não queremos ofender os que nos socorrem e curam, mas tampouco queremos que eles descuidem da nossa saúde. Seria intolerável se nos abandonassem.

Portanto, vamos entrar no jogo, ou seja, digamos simplesmente SIM e neguemos a nossa verdade interior, neguemos a certeza tão íntima de que a nossa alma quer e precisa seguir outro caminho — um caminho cujo acerto pode ser negado por uma argumentação médica.

E já nos vemos em conflito, pois nos sentimos divididos entre o SIM e o NÃO. Exige-se um processo de decisão. Exteriormente, eu sou obrigado a me posicionar a favor ou contra a saúde, ao passo que, internamente, realizo aquele SIM que cura em toda a minha trajetória pessoal. E isso também pode significar um caminho que passa pela doença.

Eu aceito as coisas tal como são, nem mais nem menos — deixando acontecer —, e mergulho no caudal da vida. Seja feita a Vossa vontade...

Assumo a responsabilidade por mim mesmo, uma responsabilidade que se alimenta do conhecimento e da intuição, passando pelo caminho que minha alma realmente quer trilhar. Trata-se do caminho da experiência pessoal, o qual, no entanto, aqueles que me socorrem e curam raramente conseguem vislumbrar. Ora, quem cura não pode ser bem-sucedido na sua prática se eu não o quiser do fundo do meu íntimo, pois minha alma necessita de outra experiência.

De modo que já não se trata de culpar ninguém, já não há nenhum "se ou mas" — trata-se unicamente de dizer SIM ou NÃO — com todas as suas conseqüências.

Somos nós — você e eu —, a experiência profunda do EU SOU, da nossa essência atemporal, que nos deixamos tratar. E não temos nenhuma opção, a não ser essa religação! Por mais que dependamos das circunstâncias, do Estado social, do próximo ou dos nossos pais, sempre temos a possibilidade de escolher entre a felicidade e a infelicidade, entre o amor e o medo. Pois fomos criados como seres divinos. E é unicamente dessa consciência que se nutre o livre-arbítrio para nos decidirmos — por uma vida ilusória ou pela vivência autêntica do nosso verdadeiro ser.

E viver autenticamente significa: dizer SIM para as coisas tais como são. Pois elas são boas tais como são — e, para vivê-las em toda a sua profundidade, eu tenho de imergir no SIM que cura. Porque é desse modo — e só desse modo — que estarei verdadeiramente curado.

Dra. Edelgard Böcker-Schröder
Especialista em Saúde Pública e Medicina Empresarial
Presidente da Federação dos Treinadores e Usuários dos Cinco "Tibetanos"®

Introdução: Dizer SIM para mim mesmo

Querida leitora, querido leitor,

Com este livro, eu venho convidá-lo a fazer uma viagem. Uma viagem especial, com cinco etapas perfeitamente equivalentes. Todas elas têm o mesmo objetivo: levá-lo a dizer SIM para si mesmo — o maior presente que uma pessoa pode se dar.

Não sei em que ponto da jornada da vida pessoal você se encontra no momento. Mas, seja qual for esse estágio, a proveniência e o destino da sua viagem, você pode dar um salto com a ajuda deste livro: para a frente, para trás, no meio, no começo ou até mesmo no fim (que, em todo caso, não existe). No meu papel de companheira de viagem, eu tomo a liberdade de chamá-lo de "você", mesmo sem conhecê-lo pessoalmente. Quero me encontrar com você na sua alma, no seu coração. O meu desejo é que estas páginas toquem naquilo que amplia os limites da sua percepção. Em outras palavras: quero me encontrar com você de ser para ser, de essência para essência. Tenho necessidade de dizer aquilo que se encontra além de todas as palavras. Do mesmo modo, a sua disposição e a sua abertura também lhe possibilitarão apreender o que está nas entrelinhas, o que eu desejo lhe comunicar em um nível mais profundo.

Em cada etapa deste livro, você poderá praticar diversos exercícios. Talvez se sinta particularmente afetado por este ou aquele. É possível que o tema de determinada etapa coincida justamente com a sua situação atual na vida. E o exercício correspondente pode auxiliá-lo a ter mais consciência do tema em questão, a aceitá-lo e a enxergá-lo de um ponto de vista diferente. Eu lhe recomendo repetir três, cinco, sete, doze ou 21 vezes as técnicas aqui descritas que o tocarem mais particularmente. Por quê? A resposta você vai descobrir nos próprios exercícios. Eles correspondem às cinco importantes etapas com seus respectivos temas. Eu mesma já passei por todas elas com sucesso. Também tive oportunidade de observar o seu efeito assombroso nos participantes de meus cursos, seminários e treinamentos.

Ser ou parecer

A libertação só é possível quando
a inteligência mergulha no
coração espiritual.

A sua inteligência reage ao tratamento de "senhora". Entende, distingue, analisa e avalia as palavras. Categoriza, critica, divide e separa. Mas o seu ser e a sua intuição detectam mensagens entre as palavras e por trás delas. O seu coração vê, pensa e ouve nas entrelinhas. Comunica-se em outra linguagem: por exemplo, em símbolos, imagens, cores e sons. Quando você entra em contato com o seu segredo mais íntimo, as palavras deixam de existir. Surge o espaço do sentir, da experiência pura. O espaço do estar ligado — primeiro a si mesmo, depois a tudo quanto existe. Aqui imperam o amor e a aceitação, aqui não há nem bom nem mau, nem certo nem errado. É um lugar em que não existe sentimento de culpa nem incriminação. É o plano da sua percepção ampliada e do seu ser puro por trás da roupagem da aparência. Com a palavra aparência, eu não me refiro unicamente aos certificados, títulos, qualificações e outros "penduricalhos" que você adquiriu na vida, e sim ao conjunto da sua personalidade, que oculta o seu verdadeiro ser. Ao chegar pela primeira vez ao espaço de que estou falando, você descobre que a sua aparência depende do tempo e do espaço e, portanto, é limitada. O seu ser é eterno, intemporal, ilimitado e universal.

Se você tiver um pouco de coragem e gosto pela aventura e — o que é mais importante — permitir isso a si mesmo, à sua alma e ao seu coração, eu terei prazer em acompanhá-lo nessa viagem extraordinária. É uma viagem de estudos, na qual você se instruirá na experiência do sentir, coisa que lhe permitirá mudar o seu dia-a-dia e toda a sua vida. Está disposto a empreender essa aventura? Tem coragem de se distanciar, pelo menos temporariamente, do espaço dos antigos hábitos cristalizados e abrir-se a outros novos e menos conhecidos? É bem possível que, no caminho, às vezes lhe seja desconfortável enfrentar a sua verdade interior e exterior. Também pode ser que você roce dimensões, nas quais não há separação nem valorização, não há crítica nem juízo — dimensões de felicidade plena, de segurança interior, de amor e realização.

O SIM que cura

Enquanto não o experimentamos, não há senão palavras.
Quando o experimentamos, as palavras se tornam desnecessárias.
Elas existem para nos inspirar a experimentá-lo.
Sentir é experimentar, e, através dessa experiência,
nós nos desenvolvemos cada vez mais...

DR. MILTON TRAGER

Ao longo das diversas etapas, sempre é possível que "alguém" ou "algo" o encontre — uma parte sua há muito tempo perdida. Ou pode ser que você se encontre ou se descubra subitamente e entenda que já não há o que procurar, pois nunca perdeu nada. Apenas esqueceu uma coisa qualquer — mas não a si mesmo, não ao seu verdadeiro eu. E, nesse momento, percebe que o seu coração está liberto e desperto. E, de fato, para essa experiência do sentir e do saber, em cuja fonte você pode voltar a matar a sede em qualquer lugar e a qualquer hora, já não existem palavras. Somente uma grande sensação de libertação, satisfação espontânea e muita gratidão — um enorme SIM interior procurando extravasar-se.

Mas cuidado! Antes de fazer a viagem, é bom saber: à entrada de algumas etapas há um guarda mascarado. É a sua inteligência disfarçada, que insiste em tudo contestar, censurar ou questionar. Ela tem medo de perder o controle e, por isso, ora o protege, ora o restringe. Eu o aconselho seriamente a dispensá-la de vez em quando e a calá-la tanto quanto for possível. Por trás da sua aparência de sensatez, oculta-se um grande medo. O medo de perder o domínio — ela sabe muito bem que, em troca, você encontrará algo muito maior, algo ilimitado, algo que vai muito além do raciocínio. É o seu puro ser, aquela onipresença atemporal, aquela grande verdade que está por trás da sua razão, com muitas pequeninas verdades parciais.

Se conseguir ligar as duas nesta viagem especial, você pode vivenciar verdadeiros saltos quânticos. Então se realiza o SIM que cura: você volta a dizer SIM a si mesmo, aos seus semelhantes, à vida e à totalidade da existência. Sua razão separadora e seu coração tornaram-se uma unidade: a razão do coração, que possibilita o equilíbrio entre intelecto e intuição, entre interior e exterior e entre céu e terra. E essa é a maior cura que pode haver.

O lótus de mil pétalas

Relaxe o cérebro e abra-se para a inspiração da sua inteligência criativa

Para a harmonização, eu gostaria de propor um exercício simples, que não lhe tomará mais do que uns poucos minutos. Ele ajuda a "desligar" vez por outra a razão. Tranqüiliza as muitas idéias que circulam permanentemente no seu cérebro. E, quando praticado com regularidade, seu efeito tende a ser mais intenso: permite diluir pouco a pouco os padrões de pensamento incrustados, habituais, que o limitam e o impedem de crescer e avançar. Equilibra os hemisférios direito e esquerdo do cérebro. E isso significa ligar o intelecto à intuição, estabelecer harmonia entre razão e sentimento.

Você pode fazer este exercício a qualquer hora. No entanto, é mais fácil se você estiver se sentindo tranqüilo e tiver alguns minutos só para si.

1. Pode ficar de pé ou sentado, como preferir, mas procure endireitar a coluna vertebral. Feche os olhos. Imagine que está respirando exclusivamente para cima, ou seja, no cérebro. Sinta o fluxo morno da respiração subir em suas narinas. Ele relaxa toda a região da cabeça, do telencéfalo ao cerebelo, do hemisfério direito ao esquerdo, assim como os olhos. A cada inspiração, o cérebro se expande, fica mais claro e livre. Abre-se mais espaço, mais amplitude no interior da sua cabeça; surge um relaxamento profundo, agradável.

2. Toda vez que expirar, procure visualizar os pensamentos perturbadores, os velhos programas e conceitos fixados pelo hábito subindo em seu cérebro e saindo pelo crânio. Ao inspirar, sinta o fluxo de ar passando pelas circunvoluções mais posteriores do seu cérebro, proporcionando-lhe uma energia fresca e renovada. Quando expirar, torne a imaginar tudo quanto já não é necessário em sua vida sendo eliminado das circunvoluções e dos nichos mais ocultos. Faça isso durante cerca de dois ou três minutos.

3. Imagine um botão de flor de lótus aparecendo no alto da sua cabeça. Milímetro por milímetro, ele vai se abrindo cada vez que você expirar. Começa a crescer, a dilatar-se e a se espalhar nos hemisférios direito e esquerdo. Abrem-se mais e mais pétalas em seu cérebro. Deixe que elas tomem a cor que mais combinar com você no momento.

4. Imagine que a energia sutil, mas poderosa, da flor da cor correspondente a você dissolve e cura tudo que se fixou em sua cabeça no decorrer dos anos, tudo que lhe tolheu a lucidez, a faculdade de conhecimento e discernimento, assim como o fluxo da sua inteligência criativa. Agora o cálice aberto da flor, com suas anteras douradas, está pronto para receber as inspirações e os conhecimentos necessários à realização da sua intuição e criatividade no cotidiano. E, se tiver confiança, pode avançar mais um passo: abra-se, com todo o seu corpo, para a inteligência superior. Entregue o intelecto à ilimitada fonte de amor e sabedoria, à força criativa universal que está ao seu dispor sempre que você quiser.

Fazendo este exercício durante 21 dias, é bem possível que você perceba, além das alterações no seu mundo exterior, efeitos sutis na região da cabeça e no campo energético que a envolve.

O exercício CCM

Harmonizar os pensamentos, os sentimentos e os atos

Eu gostaria de lhe apresentar mais um método muito simples de harmonização para a viagem de estudos. Não vai ocupar mais do que três minutos do seu precioso tempo, sempre que lhe for conveniente e com a freqüência com que você pensar nisso. Ele o ajudará a equilibrar os pensamentos, as palavras, os sentimentos e as ações. Quanto mais amiúde você o fizer, mais ordem, harmonia e serenidade experimentará em si, transmitindo-as ao seu meio.

Nós sempre temos muitos conhecimentos, percepções, idéias e propósitos. Por vezes eles nos afetam, deixam-nos comovidos, entusiasmados. Todavia, quantas vezes essas idéias acabam ficando para trás porque não são realizadas e não se traduzem em fatos? A razão é apenas uma parte de nós, conquanto importantíssima. Mas, com muita freqüência, nós nos separamos de outra parte importante do nosso ser, do nosso coração, do mundo dos sentimentos. Quantas vezes conseguimos realmente realizar nossas idéias, conhecimentos e propósitos, ligando-os ao mundo com a energia dos sentimentos e com as nossas ações?

O exercício CCM ajuda a harmonizar o Cérebro, o Coração e as Mãos. Você pode fazê-lo em qualquer lugar e a qualquer hora, estando de pé, sentado ou deitado. Dura apenas alguns minutos.

Neste exercício, o Cérebro significa o pensamento; o Coração, o sentimento e a intuição; e a Mão, o fazer criativo no mundo.

1. Ponha a palma de uma das mãos na testa e a da outra no centro do peito. Decida onde prefere colocar a mão direita e a esquerda. A seguir, concentre a atenção nesses dois lugares. Observe o que acontece. Quem faz o monólogo incessante na sua cabeça? Ele se acalma? A região do peito se aquece? É possível que, depois de algum tempo, você já não detecte nenhuma separação entre a palma da mão e o corpo, que comece a se sentir como que fundido. Você não se sente mais calmo, mais quente, mais consciente?

2. Passado algum tempo, quando estiver se sentindo mais relaxado, pode fazer as seguintes afirmações (frases positivas) em voz alta ou baixa ou simplesmente falando consigo, ao mesmo tempo que trata de respirar com a palma da mão:

> "Meus pensamentos, palavras e ações estão em equilíbrio."
> "Minha razão e meu sentimento estão em equilíbrio."
> "Meu intelecto e minha intuição estão em equilíbrio."

Dizer SIM para o meu corpo

Quem no próprio corpo
tem consciência da sua verdadeira natureza,
vive em estado de grande felicidade e liberdade,
aqui e agora.

RAMANA MAHARSHI

Vamos iniciar a viagem no seu corpo, pois ele é a expressão visível e sensível de quem você é. Eu gostaria de acompanhá-lo, pois se trata de reverenciar o seu corpo, tocá-lo, senti-lo e valorizá-lo com atenção e consciência. Por estranho que lhe possa parecer, eu garanto que ele reagirá a isso. Sinta-o — agora, neste mesmo instante, e muitas outras vezes, sempre que você pensar nele. Pergunte: como eu cuido deste valioso acompanhante da jornada da minha vida, da minha morada preciosa e viva? Eu me relaciono consciente ou inconscientemente com ela? Que atenção e que reconhecimento demonstro por essa escultura viva, formada de bilhões de células? Quanto tempo e dinheiro, quanto cuidado — interior e exterior —, quanto respeito e amor eu invisto em meu corpo em comparação com minha casa ou apartamento de madeira, pedra ou concreto? Acaso trato-o com descuido — a não ser quando a doença, a dor ou o mal-estar bate na porta da minha residência viva, feita de carne e osso? Até que ponto eu amo e aceito o meu valioso veículo, o templo do meu espírito e da minha alma, constituído de células, ossos, músculos e órgãos vivos? Que dignidade confiro a este lar vivo, que viaja comigo seja quando e para onde for, sempre que necessário? Eu moro conscientemente em todo o meu corpo? Ou será que só me sinto em casa na minha cabeça, no meu cérebro?

O corpo é o balanço da vida que você tem levado. É a criação visível e sensível da sua essência, da sua consciência vivida ou não vivida. A constituição, a saúde e a vivacidade dele refletem a sua consciência e a sua visão de si, de sua existência e, além disso, do conjunto da Criação.

O corpo é o espelho da alma, da personalidade, da sua força e da sua fraqueza. É a sua criação primordial. Ele nunca mente — não pode mentir, pois é totalmente inocente e autêntico. Por isso também é muito mais sincero do que podem ser as palavras dos seus melhores amigos.

Experimente ficar nu diante do espelho e tenha a coragem de se examinar francamente. Você receberá respostas concretas e sinceras a todas as perguntas que fizer: Como eu sou? Que penso? Que sinto? Como falo? Eu vivo em harmonia comigo, com o meu coração, com o meu corpo? Ou perdi o vínculo com ele e com o meu ser mais interior?

Estar em contato com o corpo inteiro significa estar simultaneamente ligado a todos os aspectos da sua verdade, à sua essência, àquilo que o anima e penetra — com a força criadora superior, ilimitada e universal que existe em todo o Cosmo.

O corpo responde às suas perguntas na linguagem que lhe é própria. Você pode interrogá-lo a qualquer hora e em qualquer lugar — quanto mais freqüentemente, melhor. Com isso, aprenderá a perceber e a entender o código, às vezes secreto, do seu mestre mais íntimo.

As cinco importantes perguntas abaixo, feitas para o seu corpo, podem ajudá-lo a eliminar a separação por vezes dolorosa dele e, portanto, de si mesmo. E há de solucionar e curar as desarmonias físicas, espirituais e psíquicas que a acompanham, para que você se aproxime de si mesmo e viva o corpo, o espírito e a alma como uma unidade.

1. *Eu me sinto em casa no meu corpo?*
2. *Aceito-o tal como ele é?*
3. *Gosto dele?*
4. *Como vão a minha flexibilidade física e a espiritual? Estão equilibradas?*
5. *Em quem eu confio mais: na inteligência e na sabedoria intuitivas do meu corpo ou na opinião das pessoas que me rodeiam?*

Procure se sondar, preste atenção nas mensagens não-verbais que o seu corpo transmite como respostas às suas perguntas — por meio do mal-estar ou do bem-estar, das tensões, das dores, da sensação de leveza, liberdade, etc. Você vai ficar admirado com o muito que ele é capaz de lhe dizer.

A mensagem que está por trás das palavras

O teu corpo é a tua biblioteca viva.
Ouve a linguagem dele —
e não tardarás a descobrir:
Todas as tuas células provêm de uma fonte única.
Cada uma delas tem a sua própria memória,
O seu próprio caminho da concórdia,
a sua própria inteligência intuitiva.

As palavras — pouco importa se ditas, escritas, lidas ou ouvidas — podem impedi-lo facilmente de descobrir aquilo que sempre existiu e sempre existirá: a energia vital, a essência pura, que se irradia em seu corpo. Para tanto, não é necessária nenhuma palavra grandiloqüente, basta a disposição para sentir e perceber. Uma das chaves mais importantes para isso é "deixar acontecer": assim você permite que seu corpo volte a se ligar à sua alma e ao seu espírito. Lembre-se sempre disso!

Neste aspecto, a qualidade da devoção tem um significado todo especial. Talvez esse conceito lhe pareça estranho, mas a devoção é, sem dúvida alguma, o segredo mais importante para gerar a cura duradoura e a harmonia integral. Você também pode lhe dar o nome de SIM, se lhe parecer mais fácil. É realmente simples e pode funcionar imediatamente. Deixe o seu espírito, a luz e a energia da força criadora superior penetrar seu corpo. Entregue a ele o seu espírito ilimitado, de modo que ambos se fundam como dois amantes inseparáveis que realizam o máximo do amor no abraço mais profundo. São esses os momentos em que você se reconhecerá para você pela primeira vez: EU SOU, sua essência pura opera através do seu corpo. Você pode ter uma idéia disso na simples viagem corporal abaixo.

A viagem da luz pelo corpo

Viva a inteligência intuitiva do seu corpo

A fonte da sabedoria, do amor e da unidade, assim como da criatividade e da intuição, não está ao alcance do plano da razão. A viagem da consciência pelo corpo vai ajudá-lo a reencontrar essa fonte à medida que lhe mostrará como sair da emaranhada rede cotidiana de palavras e pensamentos que tanto insiste em impedi-lo de se vivenciar consciente, animada e integralmente em seu próprio corpo. Ela lhe possibilitará reaproximar-se de si mesmo e amar-se e aceitar-se como você é.

Faça o exercício de pé, sentado ou deitado. Dura algo entre três e dez minutos.

1. Feche os olhos. Durante alguns segundos, concentre a atenção unicamente na sua respiração. Então visualize a chama de uma vela. No começo, será mais fácil se você trabalhar não com uma imagem interior, e sim com uma vela de verdade. Olhe diretamente para a luz.

2. Acolha dentro de si, pelo cocuruto, a imagem que você fez da luz da chama. Inspire e expire profundamente e sinta a luz, ligada à sua respiração, fluir em seu cérebro, espalhando-se nos hemisférios direito e esquerdo e, depois, em toda a sua cabeça.

3. A partir daí, deixe a luz descer pelo pescoço e penetrar o seu peito, espalhar-se pelos braços até a ponta dos dedos, seguir ao longo da coluna vertebral — começando pela última vértebra cervical até o cóccix e finalmente pelas pernas até a sola dos pés e a ponta dos artelhos.
Imagine a luz dourada da chama distribuindo-se em todo o seu corpo e em todos os órgãos, músculos e nervos, fluindo em seus ossos

até as profundezas da medula. Visualize a luz exterior do fogo ativando a sua luz interior, a sua chama vital, fazendo com que ela flua e brilhe.

4. Agora todo o seu corpo flui e brilha em uma única luz. A consciência pura o irriga, e ele está envolto e embebido em energia ou luz curativa. Sorria interiormente para ele como para um amigo sábio, em quem você tem muita confiança, e diga intimamente para o seu corpo: "SIM" ou "obrigado". Escolha a palavra que lhe for mais adequada. Talvez você prefira dizer as duas alternadamente. Ambas são igualmente fortes, igualmente eficazes. A gratidão tem uma das vibrações mais vigorosas e gera a cura em todos os níveis. E o SIM interior para si mesmo é um dos maiores presentes que você pode se dar.

Os Cinco "Tibetanos"® — agora de modo bem diferente

Aquele que realiza a verdade do corpo
tem acesso à felicidade maior.

Há doze anos, mais de 1,5 milhão de pessoas praticam os cinco exercícios simples do Himalaia. Cada qual pode ter a sua própria idéia deles, do que são exatamente — e eu parto do princípio de que você também já teve contato com os Cinco "Tibetanos"®. Embora sejam, por si sós, um poderoso instrumento de transformação, aqui você pode usá-los como paradas intermediárias na sua viagem pelas cinco grandes etapas.

Mesmo que já tenha ouvido falar, lido ou vivido pessoalmente os Cinco "Tibetanos"®, agora você tem a possibilidade de viver esses exercícios simples de modo bem diferente, isto é, travando conhecimento consigo mesmo, com isso que anima e penetra o seu corpo e o leva de volta a si mesmo em todos os planos, ligando-o a si. No entanto, isso nada tem a ver com a história e a base dos exercícios, nem com as suas expectativas quanto ao efeito que eles venham a ter. Vai muito além.

Você gostaria de se aventurar em uma experiência inusitada? Trata-se de fazer uma coisa sem um propósito definido e sem pedir nada em troca. Se você estiver disposto, eu lhe mostro como vivenciar os Cinco "Tibetanos"® — que, neste livro, se denominam os "Cinco Ritos" — de maneira completamente diferente. A minha proposta é executá-los como uma meditação corporal — sem condições, sem objetivo. Geralmente, nós conservamos o antigo hábito de só fazer uma coisa para atingir uma meta. Queremos obter um determinado efeito que nos foi prometido ou que, por um motivo qualquer, esperamos. Durante o exercício, ficamos cheios de idéias, imagens e expectativas.

Ora, enquanto agir assim, você não estará livre, mas "atado" ao seu objetivo: "se... então". Desse modo, deixa escapar a magnífica liberdade do momento em que todas as metas perdem a importância. Enquanto estiver perseguindo um objetivo, ambiciosa e obstinadamente — seja a longevidade, a perseverança, a boa forma física ou a iluminação —, você executará o programa de exercícios de maneira mecânica, e o seu espírito pode estar em toda parte, menos com você. A consciência fica separada do corpo. Talvez os seus músculos aproveitem esse tipo de treinamento, mas não o seu coração, o seu espírito e a sua alma.

A minha contraproposta é a meditação corporal, ou seja, o movimento consciente. Nela não há nenhuma meta de boa forma física a ser alcançada e nenhuma obrigação de desempenho. Trata-se muito mais de estar presente no aqui e no agora, quer dizer, em cada momento — com todos os sentidos e toda a atenção. Se porventura o seu espírito se desviar, traga-o delicadamente de volta ao presente.

Em vez de *fazer* movimentos, tente *deixar-se mover* na meditação corporal dos Cinco Ritos. Esteja totalmente presente e olhe para si mesmo. Permita que os movimentos fluidos, que se interpenetram, simplesmente aconteçam a partir do seu centro mais íntimo, de dentro para fora. Desse modo, bloqueios físicos, psíquicos e mentais profundamente alojados podem ser alçados à superfície e demolidos passo a passo.

Não se deve subestimar a energia curativa e transformadora da prática dos Cinco Ritos como meditação corporal. Esse tipo de exercício lhe permite liberar a inteligência e a sabedoria do corpo e a ele vincular ainda mais a consciência. Simultaneamente, melhora a flexibilidade física que, por sua vez, condiciona a flexibilidade espiritual. A criatividade tolhida e a intuição adormecida podem se desenvolver, enriquecendo muito a sua vida.

Trata-se, pois, de deixar de fazer exercícios a partir da cabeça, da razão, para fazê-los a partir do espaço do *Wu-Wei*. O caminho parte do "querer praticar", passa pelo "deixar praticar" e chega ao "praticar-se". Trata-se de se exercitar a partir do puro deixar acontecer.

Wu-Wei — o milagre da impremeditação

Ser testemunha significa
ser você mesmo
e observar
o que acontece.

Antes de iniciar a prática, eu gostaria de lhe apresentar (mais de perto) três conceitos essenciais: o *Wu-Wei*, a *boa forma interior* e o *EU SOU*. Já discorri longamente sobre isso nos livros *Die Intelligenz des Herzens* [A inteligência do coração] e *Das Paradies ist in dir* [O paraíso está em você]. Mas quero sintetizar aqui a quintessência — teórica e, depois, praticamente. Pois ela o acompanha nas cinco etapas e nos respectivos exercícios práticos.

O *Wu-Wei* é um conceito oriundo do taoísmo. Equivale aproximadamente a "ociosidade" ou "inatividade". É possível que você pergunte: como fazer exercício e, ao mesmo tempo, permanecer ocioso? Pois é justamente isso! Talvez você já tenha tido essa experiência ao dirigir. A estrada vazia, a pista totalmente livre. É então que pode surgir essa consciência: eu não estou dirigindo, estou sendo levado pelo carro. Pode-se viver uma situação parecida no *jogging*: você passa a ser testemunha, limita-se a observar a corrida que "o leva".

Wu-Wei não significa propriamente ociosidade, e sim um agir livre de esforço e cobiça. É o atuar espontâneo que, desprovido de propósitos, adapta-se à situação dada. O verdadeiro taoísta se abstém de interferir no curso das coisas. Dá a tudo a possibilidade de se desenvolver de acordo com sua própria natureza. Porque o Tao, o Rio da Energia Vital, opera espontaneamente, de acordo com a sua natureza. Age sem objetivo; porém, mesmo assim, não deixa nada por fazer.

Não convém subestimar a energia sutil e o efeito da impremeditação. Esta não indaga sobre o resultado. A vontade se subordina ao fazer impremeditado. Não há quem tudo avalie, analise, não há crítica destrutiva, julgamento ou condenação, enfim, não há empenho em atingir um objetivo, coisa que retira todo o espaço da espontaneidade, da alegria e da leveza do momento. Você se desloca a partir do espaço do seu centro, da consciência da percepção pura, do ser puro, que dispensa todo e qualquer conceito, todo e qualquer fazer, todo e qualquer querer, enquanto você continua fazendo o exercício calma e serenamente, pouco importa qual, quando, com que freqüência e durante quanto tempo o faz. E, como age assim, todas as suas necessidades são atendidas de dentro para fora.

A boa forma exterior e a interior

A boa forma exterior corresponde ao parecer,
a boa forma interior corresponde ao ser.

A experiência do *Wu-Wei* só é possível mediante a arte do exercício lúdico, mas consciente. O que ela tem de especial é a leveza, a flexibilidade, a fluidez dos movimentos. Isso ocorre conscientemente — de dentro para fora. A respiração flui de modo suave e cadenciado, paralelamente ao movimento. Tendo interiorizado esse princípio, você pode aplicá-lo a qualquer forma de exercício, a qualquer atividade do seu dia-a-dia: dirigir, cozinhar, dançar, correr, praticar a ioga, o *qigong*, a natação, assim como qualquer modalidade esportiva, até mesmo a musculação com aparelhos.

É o que eu mesma revivo constantemente: posso fazer qualquer coisa com base nessa consciência: a partir do estado *Wu-Wei*, quer dizer, da energia do meu centro, consigo deixar acontecer até mesmo os movimentos mecânicos, voltados para o exterior, da academia de ginástica. Desse modo, todo e qualquer esforço se reduz ao mínimo. Foi assim que concebi a idéia de "boa forma interior".

A boa forma exterior se converte em boa forma interior. Ambas existem simultaneamente. Você pode escolher o caminho. Mas o movimento a partir do ser — da consciência *Wu-Wei* — tem uma qualidade diferente, basicamente libertadora. Permite-lhe, se quiser, chegar a esse estado a qualquer hora e a qualquer momento da vida cotidiana, independentemente da sua tradição, disciplina ou forma de exercício. As limitações e o condicionamento físicos perdem a importância.

O EU SOU é a sua verdadeira natureza

Só existe este momento —
só o EU SOU.
O passado e o futuro
não são senão projeções da sua mente.

Quem sou eu? Esta pergunta é realmente a maneira mais simples de mergulhar na verdade absoluta, no espaço oculto atrás de todas as formas e métodos. As duas palavras — EU SOU — funcionam como a chave que abre a porta do seu eu e da sua verdade suprema. Em sânscrito, EU SOU corresponde ao OM, à consciência absoluta. O EU SOU o leva ao saber ilimitado e intemporal que existe simultaneamente em todas as épocas, em todas as culturas, em todos os continentes e em todos os níveis — desde a mais mínima partícula até o horizonte visível e mais além.

O EU SOU é a ponte entre o Céu e a Terra, entre o parecer e o ser e, inversamente, entre a consciência pessoal de cada um e o supraconsciente. Todos os seus pensamentos, palavras, desejos e sentimentos acabam desembocando nesse espaço infinito e ilimitado. É o seu verdadeiro estado de ser, pois já não há o que desejar ou imaginar: tudo existe nele. É o espaço do vazio e, ao mesmo tempo, pleno e desbordante. É o estado da liberdade perfeita. É o saber e o confiar, absolutamente, que tudo o que você precisa no seu mundo pessoal está sempre presente e à sua disposição.

O EU SOU é o veículo que o aproxima da sua verdade absoluta, da sua origem, da verdade que repousa escondida no núcleo de cada célula do seu corpo e do de todos os seres vivos e que aguarda ser redescoberta. O seu pequenino eu — o parecer — torna a se ligar à fonte para ficar vinculado ao seu ser, àquele lugar no qual você realmente está em casa, no qual já não existe separação, no qual se dá, por si só, a fusão entre espírito e matéria, entre céu e terra e entre todas as polaridades, em cada recesso do seu corpo, com cada fibra da sua consciência. Então você vive a origem da felicidade intensa, ilimitada, cheia da energia do amor e da alegria e da liberdade infinitas, vinculado à confiança incondicional e ao saber absoluto de que tudo ocorre no tempo e no lugar certos. Todas as expectativas, conceitos e condições tornam-se, assim, desnecessários.

A meditação do EU SOU tem muita energia. Você inspira e diz interiormente "EU". Expira e diz interiormente "SOU". Pode fazê-lo relacionando-o com os Cinco Ritos, mas também em qualquer lugar e a qualquer hora. Quando você pratica o EU SOU, o fluxo dos seus pensamentos vai serenando paulatinamente. O seu eu passa para o segundo plano, e você se sente cada vez mais livre. Cedo ou tarde, o EU SOU o leva ao puro deixar acontecer ou, dito com outras palavras, ao estado *Wu-Wei* e, desse modo, ao seu verdadeiro eu.

Como praticar?

- Se possível, pratique diariamente. Determine o horário mais adequado para você, de preferência antes das refeições. É melhor ficar sem comer de duas a quatro horas antes.
- Reserve tempo — de dez a quinze minutos — somente para você. Cuide para que não o incomodem: nada de telefone ou campainha para importuná-lo.
- No começo, pratique três vezes cada posição. Acrescente uma ou duas repetições por semana, até chegar a 21. Mas não faça nada de maneira forçada. Deixe que a sabedoria e a inteligência do seu corpo descubram o número de repetições que lhe convém.
- Siga a ordem dos exercícios. Eles se erigem uns sobre os outros e se complementam. Cada um dos movimentos — tanto de alongamento quanto de contração — equilibra o anterior. O ritmo natural da respiração orienta o movimento. A respiração e o movimento fluem e se interpenetram suave, harmônica e, no entanto, cadenciadamente, como em uma dança lúdica.
- Nos alongamentos, chegue só até o limite da sua capacidade de movimento. Simultaneamente com o estiramento do corpo, a sua percepção se amplia e se desenvolve, a sua consciência aumenta.
- Procure fixar-se primeiramente no seu centro. Sinta onde ele fica. No baixo-ventre, no plexo solar ou no centro do tórax? Respirando de três a cinco vezes, procure mergulhar nele ainda mais.
- Encare os Cinco Ritos como uma meditação corporal. Lembre-se sempre de só deixar o movimento ocorrer a partir desse espaço: do querer praticar ao deixar praticar e ao praticar. Trata-se de

fazer os exercícios a partir do puro deixar acontecer. É o que dá os melhores resultados.

- Para efetuar os Cinco Ritos como meditação corporal, é recomendável ficar de olhos fechados durante os exercícios. Procure concentrar a atenção exclusivamente no corpo e na respiração. Isso tranqüiliza o seu intelecto. É útil respirar fundo e conscientemente.
- Não se esqueça: a sua presença EU SOU é sábia e ilimitada, bem ao contrário da razão, com todos os seus conceitos e expectativas tanto em você mesmo quanto nos exercícios e em seus resultados.
- Seja quando for, a presença e a consciência são a chave do seu corpo. Elas o levam aos espaços ocultos do seu coração, ao seu eu, à verdade e à essência que você realmente é. Vinculam-no à energia vital universal, que flui vigorosa e regenerativamente em você.

A meditação dos Cinco "Tibetanos"®
para o corpo
Confie na sabedoria ilimitada do seu corpo

Passemos agora à prática dos Cinco Ritos. Por favor, ao fazer os exercícios, não esqueça de deixar a sabedoria do *Wu-Wei*, a energia do EU SOU e os princípios da boa forma interior fluírem em sua postura interior, assim como no seu exercitar exterior.

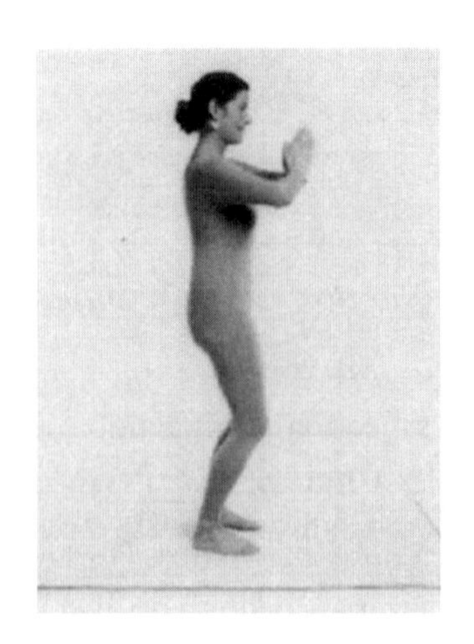

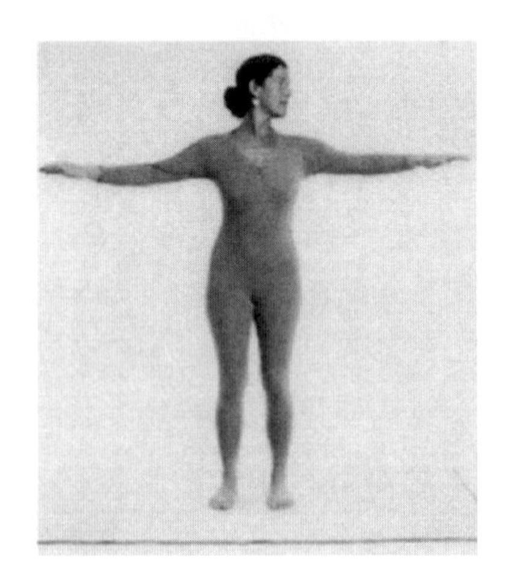

Primeiro "Tibetano"®

Fique de pé, com os pés paralelos, alinhados com os ombros, e os joelhos levemente dobrados. Una as mãos à altura dos olhos e a uns cinqüenta centímetros do rosto. Passe alguns segundos com a atenção voltada para o centro do seu corpo.

Quando inspirar, estenda bem os braços — qual uma águia abrindo as asas para voar. Volte as palmas das mãos para o chão. Sinta a região do peito dilatar-se e todo o corpo estirar-se, da sola dos pés à ponta dos cabelos. Seus pés estão bem plantados no chão, como se tivessem criado raízes.

Fixe o olhar em um ponto à sua frente, à altura dos olhos. Se preferir, feche-os. Então comece a girar lentamente para a direita. Escolha a velocidade que lhe for adequada e, para começar, gire três vezes para a direita e três para a esquerda. Ao terminar, volte a unir as mãos diante do rosto. Concentre a atenção nos polegares unidos e, a partir desse ponto, vá descendo rumo ao centro do corpo.

Se sentir um pouco de tontura com os movimentos giratórios, fique de olhos abertos. Gire mais devagar e fixe ainda mais a consciência no centro de seu corpo.

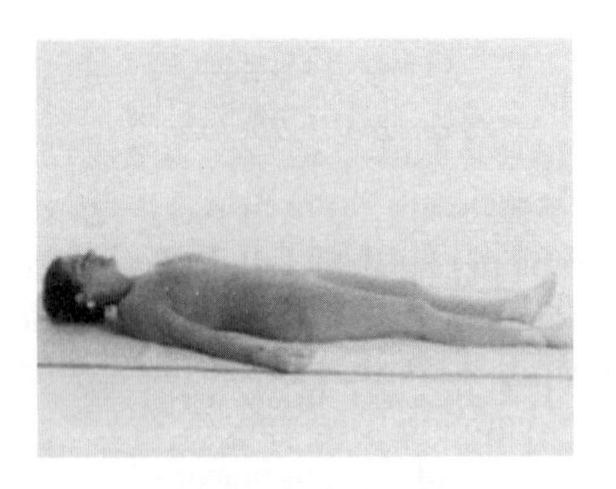

Segundo "Tibetano"®

Deite-se de costas em uma esteira ou cobertor. Estenda os braços junto do corpo, as palmas das mãos voltadas para o chão.

Quando inspirar, levante ao mesmo tempo a cabeça e as pernas esticadas. Dobre o pescoço, continue com os ombros em contato com o chão e procure manter os joelhos bem esticados. No fim do movimento, seus calcanhares estarão voltados para cima, para o teto.

Ao expirar, torne a baixar simultaneamente a cabeça e as pernas até o chão. Relaxe todos os músculos, respire fundo e volte a se concentrar no seu centro. Quando inspirar novamente, reinicie o movimento.

Caso você sofra de lordose ou dor nas costas, levante as pernas com os joelhos dobrados, estique-os por um momento e volte a dobrá-los. Mantenha a parte inferior das costas em contato com o chão ao levantar e ao baixar as pernas. Preste atenção à respiração:

Inspire quando estiver erguendo a cabeça e as pernas.

Expire ao tornar a baixá-las.

Respirando algumas vezes depois de baixar a cabeça e as pernas, você pode fazer mais conscientemente o exercício meditativo. Ao expirar, imagine-se expelindo toda a tensão supérflua que há em seu corpo, em sua psique e em seu pensamento.

Enfim respire algumas vezes, concentrando-se no seu centro, antes de passar para o terceiro "Tibetano"®.

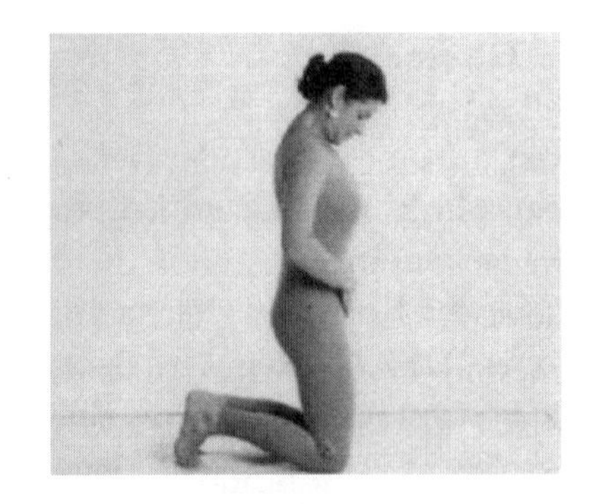
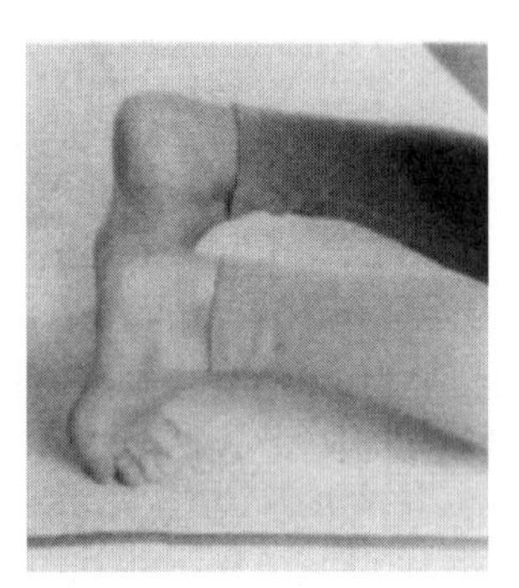
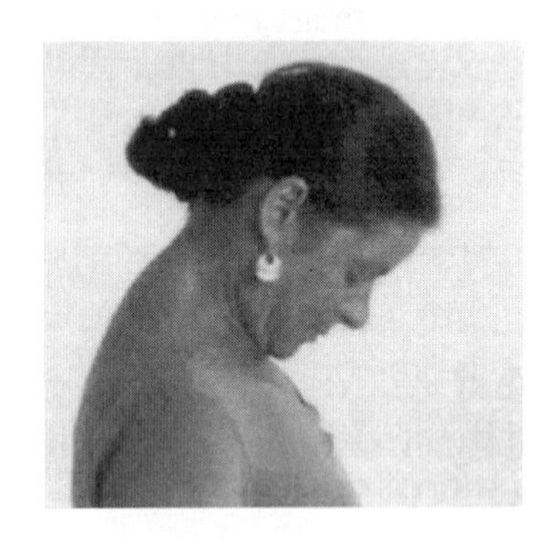
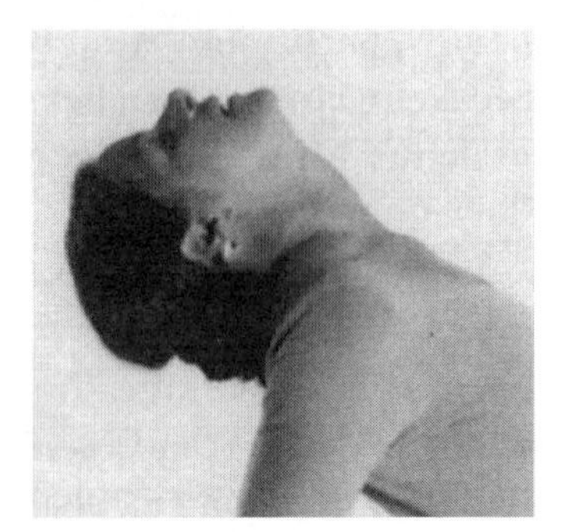
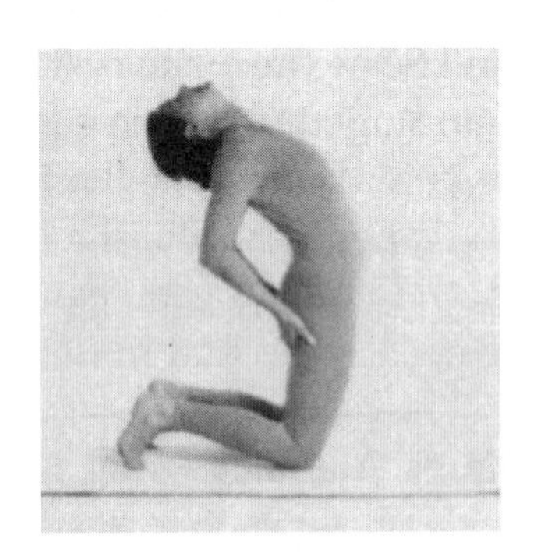

Terceiro "Tibetano"®

Ajoelhe-se, mantendo o tronco ereto. Alinhe os joelhos com os ombros, dobre os artelhos para a frente.

Enquanto expira, incline a cabeça para a frente. Aproxime o máximo possível o queixo do peito.

Quando estiver inspirando, volte a endireitar o corpo. Flexione o tronco para trás, apoiando as mãos na parte posterior das coxas, pouco abaixo das nádegas. Projete os quadris para a frente. Retese ao máximo as nádegas. Com isso você previne tensão na região lombar e na coluna. Por último, incline a cabeça delicadamente para trás. Entreabra os lábios a fim de evitar hiperatividade da tireóide e tensão na região maxilar.

Ao expirar, volte lentamente para a posição vertical. Solte as mãos e relaxe os ombros. Preste atenção à respiração:

Inspire quando estiver se inclinando para trás.

Expire quando voltar à posição ereta e inclinar a cabeça para a frente.

Ao terminar o exercício, descanse na posição fetal: as nádegas sobre os tornozelos, a testa encostada no chão, os braços estendidos junto ao corpo. Respire fundo, suave e conscientemente, em toda a extensão das suas costas. Quando você estiver praticando os Cinco Ritos pela primeira vez, o tempo de relaxamento na posição fetal deve corresponder ao tempo do exercício anterior.

Quarto "Tibetano"®

Sente-se no chão com as pernas esticadas e paralelas e o tronco ereto. Apóie as palmas das mãos no chão, perto dos quadris, de modo que as pontas dos dedos fiquem voltadas para a frente. Tendo relaxado o pescoço, expire e, ao mesmo tempo, incline a cabeça até encostar o queixo no tórax.

Enquanto inspira, erga as nádegas. O esforço para tanto é dos quadris. Ao mesmo tempo, vá inclinando delicadamente a cabeça para trás. Abra ligeiramente a boca e descontraia o maxilar inferior. Estique os braços. O tronco e as coxas devem formar uma linha reta, paralela ao chão; o mesmo vale para as suas mãos e os seus pés. Pés e mãos, com a força do seu centro, sustentarão o peso do corpo. Contraia brevemente todos os músculos do corpo.

Quando expirar, volte à posição inicial, relaxe o pescoço e incline a cabeça para a frente outra vez.

Imagine que, nessa posição, seu corpo forma uma ponte simbólica entre o seu mundo interior e o exterior.

Atenção à respiração:

Inspire quando estiver levantando o corpo.

Expire ao tornar a sentar-se, relaxando o pescoço e inclinando a cabeça para a frente.

Para equilibrar e relaxar, sente-se com as pernas dobradas, apóie o tronco nas coxas, encaixando as axilas nos joelhos. Respire fundo na região das costas, particularmente na lombar e na parte superior, arqueada. Imagine que essas duas regiões se soltam e relaxam mais e mais a cada vez que você respira.

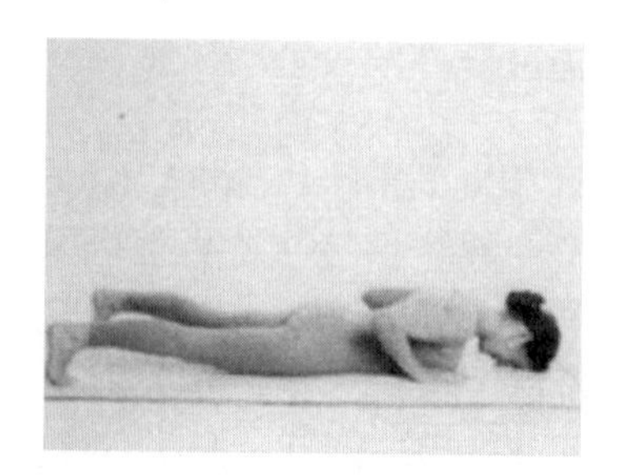
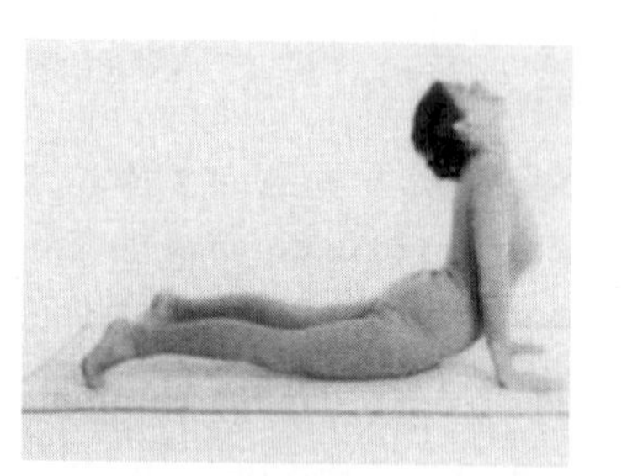

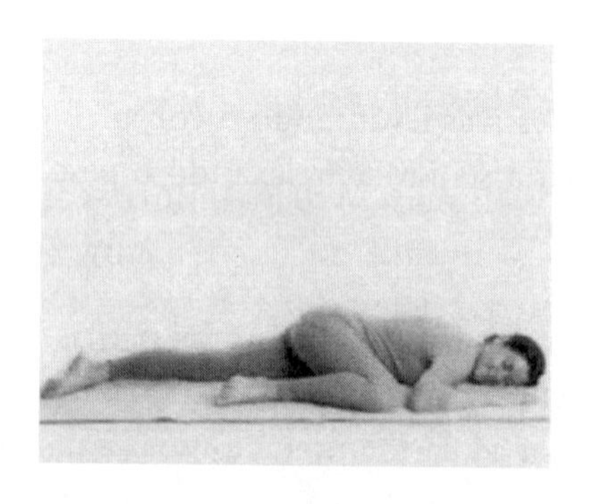

Quinto "Tibetano"®

Para fazer o quinto "tibetano"®, deite-se de bruços. Sinta o contato do corpo com o solo. Apóie as palmas das mãos no chão, na altura do peito. Dobre os artelhos para a frente e encoste a testa no chão. Aproxime o queixo do peito a fim de alongar o pescoço.

Enquanto estiver expirando, levante vagarosamente o tronco. Dilate a região torácica, force os ombros para baixo e para fora. Abra a boca ao mesmo tempo que inclina a cabeça para trás. Procure relaxar bastante a região maxilar. Nessa posição, contraia a musculatura glútea a fim de evitar tensão na região lombar. Fique com os braços e as pernas esticados.

Ao inspirar, erga o corpo, usando a força dos quadris, de modo que ele forme um V invertido. Estenda os quadris ao máximo, para cima e para trás. Conserve as mãos e os pés no mesmo lugar o tempo todo. Aproxime os calcanhares do chão e encoste o queixo no peito, de modo que o pescoço se alongue ao máximo.

Quando expirar, volte à posição inicial.

Atenção à respiração:

Inspire quando estiver erguendo o corpo.
Expire ao baixá-lo.

Termine o quinto "Tibetano"® na posição da criança dormindo. Deitado de bruços, encolha uma das pernas na direção do ombro. Recline a cabeça, o rosto voltado para o lado da perna dobrada. Desse mesmo lado, o braço deve estar dobrado e bem relaxado; o outro, ficará estendido paralelamente ao corpo. Depois de cerca de um minuto, inverta a posição para o outro lado. Cada vez que expirar, imagine-se afundando mais e mais no chão.

Sinta o corpo ligando-se ao solo. Sonde-se e investigue: durante o exercício, você conseguiu estar presente, ficar solto, para ir do "fazer" ao "deixar acontecer"? O exercício foi mais uma ginástica mecânica ou mais uma meditação corporal consciente?

Dizer SIM para os meus sentimentos

Nós tardamos muito a entender que todas as experiências —
positivas ou negativas — são as maiores dádivas que recebemos,
dádivas para libertar a verdade em nós.
Ocorre que a vida, com os seus altos e baixos,
é a nossa única mestra verdadeira.

RESHAD FIELD

Nossa viagem nos leva agora à etapa seguinte: ao mundo dos sentimentos. Um SIM direto e franco para o corpo facilita o SIM para os sentimentos. Pois cada célula de que somos constituídos tudo sente e contém a consciência do todo.

Muita gente acha difícil amar-se, aceitar-se e estimar-se. É bem mais fácil projetar o amor e a atenção nos nossos semelhantes e, inversamente, exigir dos outros, do exterior, o amor, a atenção e o reconhecimento que negamos a nós mesmos. A viagem interior nos espaços do coração levou-me inevitavelmente ao não muito sadio mundo dos meus sentimentos, até que finalmente consegui chegar à aceitação e ao amor por mim mesma. No caminho, precisei superar algumas barreiras, umas grandes, outras nem tanto. Demorei a me livrar de algumas das mais obstinadas crenças como: "Se eu me amar, estarei sendo egoísta" ou "Eu não mereço isso".

Você também conhece essas máximas ou outras parecidas? Tais modelos limitados de crença estão incrustados nas camadas mais profundas do nosso ser — e em diversos níveis ao mesmo tempo. Marcam tanto as células do nosso corpo quanto a nossa psique e o nosso pensamento. E, enquanto não as detectarmos, continuaremos enredados em tais modelos e, portanto, sem liberdade.

Para rastrear esses padrões profundamente enraizados, as seguintes perguntas podem ser úteis:

- Você recebe amor, estima e reconhecimento exclusivamente dos seus semelhantes?
- Devido aos condicionamentos mencionados acima, procura nos seus pais, na escola, nos amigos, na profissão e inclusive no âmbito das relações amorosas íntimas tudo aquilo que não se atreve a dar a si mesmo?
- Fica decepcionado quando o seu parceiro ou parceira, seus pais, filhos ou amigos não correspondem às suas expectativas?

- Como você reage a isso? Com frustração, recolhimento na solidão, teimosia, amargura, raiva — ou quem sabe até mesmo com punições mais ou menos conscientes?

Busca, vício e aspiração

A identificação com os seus problemas,
preocupações, emoções
e doenças
termina quando você desperta
para a verdade do seu ser supremo.

Nós todos não trazemos a chaga do abandono — e o anseio que por trás dela se oculta? Estou me referindo ao anseio primordial latente em cada um de nós, à aspiração profunda ao amor, à alegria, à felicidade, à paz, à harmonia e à descoberta, estou falando da necessidade de voltar para casa, para o lugar onde tudo isso nos espera. Ora, enquanto tal coisa não acontece, continuamos sendo prisioneiros desse anseio, sempre à espreita de uma oportunidade de nos aproximarmos por fora. Às vezes chegamos até mesmo a tentar aplacar a nossa fome espiritual com diversos vícios que funcionam como sucedâneos da grande aspiração — a aspiração à libertação definitiva.

Os seres humanos têm, basicamente, duas possibilidades de lidar de modo mais ou menos consciente com a sua chaga primordial. Ou fazer o que for possível para evitar totalmente a dor da ferida, ou tentar acalmar dentro de si esse anseio pungente. Passam a vida inteira buscando satisfazer suas necessidades no mundo exterior. E essa busca muitas vezes conduz ao vício, que, afinal, não faz senão dissimular a fome — e, assim mesmo, só provisoriamente. O anseio primordial se perpetua.

Para muitos, o corpo está parcialmente separado da consciência. Simultaneamente, a razão se aparta dos nossos sentimentos e do nosso coração, ao passo que este, por sua vez, fica isolado dos nossos semelhantes. Muitas vezes, nós mesmos nos afastamos do nosso coração. Sentimentos básicos como o medo, a raiva, o ódio e a tristeza obstruem o caminho rumo ao que está por trás dessas coisas.

Tais sentimentos existem de fato. Não são idéias abstratas nem se deixam eliminar com facilidade. Os sentimentos e as emoções são energias armazenadas no corpo e na alma. E se você não as exprimir, se não as afirmar, se, pelo contrário, decidir reprimi-las e contê-las, pode ser que elas o intoxiquem. Passam a lhe corroer o corpo e a alma até que você consiga reconhecê-las e aceitá-las de boa vontade. Essas energias reprimidas podem vir à tona na forma de sofrimento físico, psíquico e/ou espiritual.

Porém o que há de mais doloroso nos sentimentos "desamados" é: o seu coração fica bloqueado por eles, fecha-se. Conseqüentemente, os seus sentimentos interiores mais profundos, como a alegria, a compaixão e o amor, tornam-se inacessíveis e não podem ser vividos.

Sondagem e afirmação dos sentimentos básicos

O cuidado consigo mesmo e com os semelhantes
dissolve a negatividade e todas as emoções e sentimentos turbulentos.
Em vez de reprimi-los ou de a eles se entregar,
é importante encará-los, assim como os seus pensamentos
e tudo quanto deles provém, com aceitação e generosidade,
convém ser tão aberto e generoso quanto possível.
Os mestres tibetanos dizem que essa forma sábia de generosidade
transmite uma sensação de espaço ilimitado, tão cálido e agradável
que a gente se sente por ele envolto e protegido
como por um tecido feito de luz solar.

SOGYAL RINPOCHE

Os sentimentos básicos do homem são o medo, a raiva, o ódio, a tristeza, o amor, a alegria e a compaixão. Nós todos temos medo. Todos sentimos raiva ou ódio — ou ficamos tristes — de vez em quando. Esse fato ninguém pode negar. A única questão é: o que você faz com esses sentimentos? Como lida com eles? Tende a evitar, rejeitar ou até mesmo negar o medo, a raiva e a tristeza? Prefere ter unicamente sentimentos positivos como o amor, a felicidade e a compaixão?

Os grupos esotéricos muitas vezes recomendam simplesmente transcender os sentimentos. Mas como transcender uma coisa que a gente nunca sentiu realmente? Eu observei em mim e em meus companheiros de viagem que esse "transcender" geralmente leva a uma serenidade ilusória, que estoura feito uma bolha de sabão assim que a vida obriga a pessoa a enfrentar dificuldades de verdade. O desafio não está em transcender os sentimentos negativos, e sim em transformar a relação ou a atitude para com eles.

Os sentimentos surgem independentemente da nossa reprovação ou aprovação. Uma estratégia de rejeição para evitar o medo, o ódio ou a tristeza pode protegê-lo aparentemente. Em compensação, separa-o da alegria espontânea de viver, do amor puro e da compaixão profunda. O amor e a compaixão residem no nosso centro mais íntimo, assim como a alegria espontânea que, em muita gente, é sobreposta pela tristeza. Esta, por sua vez, freqüentemente é superposta pela raiva e pelo ódio. E, na superfície, encontra-se o medo.

O medo e o ódio ou as agressões são energias elementares da Criação. São emoções essenciais que afetam todos os seres vivos. Um dos medos mais profundos do ser humano é o de ser abandonado, de ficar sozinho. É claro que existem muitos outros medos elementares: o medo dos sentimentos ou de perder o prestígio; o de ficar pobre, doente, velho e vulnerável; o de perder o emprego ou ser "excluído" da família ou da sociedade, tornando-se um marginal; o medo do desconhecido, das mudanças.

Muitas vezes, a energia do medo e do ódio fica presa nos mais profundos recessos do corpo, encapsulada nas circunvoluções mais ocultas do cérebro. Deixa vestígios em todo o organismo. O ódio e a raiva são os sentimentos menos tolerados e, portanto, os mais reprimidos na nossa sociedade. Por essa razão, a maioria das pessoas leva consigo um ódio estancado e reprimido. Sua expressão mais grave aparece nas agressões despropositadas no âmbito das relações inter-humanas, na violência, na atitude mental e verbal destrutiva e inclusive na guerra em todos os níveis. Fisicamente, ele se manifesta nas mais diversas formas de expressão: por exemplo, a dor nas costas, os problemas de coluna, a voz estridente ou excessivamente alta, os tumores, as distensões musculares, o bruxismo e as contrações labiais, os punhos cerrados, os olhos que fuzilam ódio e muitas outras coisas.

O medo contido pode lhe fechar a garganta. Pode se condensar na região do pescoço e dos quadris, causando tensão nos ombros, torcicolo e muitos outros males. Ele paralisa a energia vital e bloqueia a respiração. Provoca uma sensação de aperto na caixa torácica e na região do coração. E, além da voz, também os movimentos se tornam rígidos, presos, quando o sentimento de medo arde no subsolo da alma.

Eludir ou escamotear o sentimento básico da tristeza não leva senão a uma felicidade superficial que encobre a dor subjacente. Com muita freqüência, recorremos ao excesso de palavras, ao riso exagerado ou ao apego doentio ao trabalho a fim de pôr em xeque as depressões latentes e não ter de preencher o buraco negro interior. Mas a alegria e o amor não se deixam subornar. A fuga da tristeza pode resultar no seu contrário quando esse sentimento nos visita de maneira ainda mais dolorosa. Somente aceitando genuinamente a tristeza inevitável é que conseguimos aplainar o caminho da alegria e da compaixão. A tristeza é uma reação sadia aos golpes do destino, às grandes decepções e às expectativas frustradas. Mesmo quando a vida nos desaponta, contrariando os nossos desejos, aspirações e necessidades mais profundos, a tristeza é uma reação inteiramente natural.

Vale a pena observar os seus sentimentos e rastrear-lhes a origem. Eles aparecem, primeiramente, como pensamentos, convicções ou expectativas. Quanto melhor os conhecer e aprender a entendê-los, tanto mais conscientemente você poderá lidar com eles. E, se permitir à sua consciência penetrar diretamente no centro do medo, da raiva ou da tristeza, tem a possibilidade de começar, a partir daí, passo a passo, de dentro para fora, a solucioná-los e a curá-los. Inclusive pode ser que eles se transformem subitamente no seu oposto. Eu pratiquei e vivi isso reiteradamente com a dor da despedida e da separação. De repente, surgiu em mim algo como uma grande expansão, como uma libertação e um alívio extraordinários. De uma hora para outra, deixei de ser escrava, deixei de estar encerrada na prisão das minhas próprias emoções, e as reconheci como prisioneiras libertas que mantive encarceradas durante anos e, ao mesmo tempo, rejeitei.

Dizer SIM *para os meus sentimentos*

Aceite a energia e a força dos seus sentimentos

Agora eu gostaria de lhe propor um exercício muito eficaz. Ele o ajudará a detectar e afirmar os "prisioneiros" encarcerados em seu corpo. Com o auxílio da sua respiração, você os ajudará a libertar-se e dar-se-á o grande presente de deixar sua energia voltar a fluir. Cautelosa e conscientemente, concentrará a atenção, em conexão com a sua respiração e o SIM curativo, nas partes do corpo em que a maioria das pessoas costuma armazenar e prender os sentimentos básicos do medo, do ódio e da tristeza.

Você pode fazer o exercício de pé, sentado ou deitado. Detenha-se e respire de três a cinco vezes em cada um dos seguintes pontos do corpo, ao mesmo tempo que os imagina mais dilatados, permeáveis e luminosos. Simultaneamente, cite o SIM curativo — ao inspirar e mais uma vez ao expirar, no seguinte ritmo:

Inspirar — dilatar-se — SIM
Expirar — expandir-se, soltar-se — SIM

Vamos "viajar" de cima para baixo. Por favor, observe os dados como impulsos para percutir esses sentimentos nas respectivas partes do corpo:

Partes do corpo

Cérebro: *condicionamentos, modelos de crença*
Testa, o ponto entre as sobrancelhas: *medo, cólera*
Lábios e rugas nasobucais: *decepção, amargura*
Garganta e pescoço: *tristeza, medo de perder o controle*
Ombros, músculo trapézio: *medo, tristeza*
Tórax: *aflição, abandono, tristeza, medo do amor*
Plexo solar: *ódio, agressões*
Quadris: *medo da sexualidade*
Joelhos e jarretes: *medo da entrega e da perda do controle*
Pés: *medo existencial, medo da vida*

Os órgãos mais importantes

Coração: *medo do amor e da proximidade, tristeza, abandono, solidão*
Pulmões: *tristeza, medo da vida*
Estômago: *decepção, amargura*
Fígado: *depressão, tristeza*
Rins e bexiga: *abandono, solidão*
Órgãos reprodutores: *medo da sexualidade, medo da vida*

Com o tempo, a energia purificadora, o SIM aos seus medos, à raiva, à tristeza e à solidão interior, leva inevitavelmente a que os sentimentos por trás deles, como a alegria, a compaixão, a gratidão e o amor profundo voltem a fluir livremente.

Rastrear e afirmar o seu medo, a sua cólera e a sua tristeza representam um salto quântico para a sua verdade e, portanto, para a sua totalidade. Você reconheceu que os verdadeiros sentimentos não são positivos nem negativos. São pura energia vital, que tem diferentes vibrações conforme suas respectivas funções: o medo o protege; a raiva o defende; a tristeza o liberta; a alegria o constrói; e a alegria, o amor e a compaixão ligam-no aos seus semelhantes, ao Criador e à Criação. A gratidão e o amor jorram imediatamente da sua fonte e transformam toda a sua vida.

Pense sempre nisso: não há nada novo. Só existe uma coisa: voltar para si, aceitar-se, amar-se. E então você pode acolher os seus semelhantes do mesmo modo, com tolerância cheia de amor e compaixão. Esse é o nascimento da alegria, da liberdade interior, da compaixão e do amor. É a auto-estima, a reconciliação consigo mesmo, com os seus semelhantes e com tudo quanto vive.

Exercício de tolerância e compaixão

Aumente a sua capacidade de intuir

Se tiver coragem de ser sincero consigo mesmo, de se aceitar e amar, você também será capaz de acolher os seus semelhantes com sinceridade e tolerância, tratá-los com compaixão. A sinceridade consigo leva à compaixão com os demais.

Você pode recorrer ao seguinte exercício de tolerância e compaixão em todos os lugares onde encontra gente — no aeroporto, nas lojas, nas estações de trem, etc. No entanto, ele é mais eficaz com os colegas de trabalho, os familiares e as relações conjugais. Ajuda a nos livrarmos de todas as avaliações que normalmente fazemos dos outros, estimulando a compreensão, a confiança e a compaixão mútuas. E não lhe toma mais do que uns poucos minutos.

Este exercício tem maior efeito curativo para você mesmo se for praticado regularmente com adversários ou inimigos do passado e do presente que não lhe saem do pensamento — gente que cria problemas para você, gente que o magoou e ainda magoa. É necessário algum tempo de exercício conseqüente. Mas em breve o seu limite de tolerância vai se alargar e sua capacidade de compaixão há de se desenvolver. E então você passará a ter muito mais serenidade, harmonia e paz interiores.

O exercício compreende três etapas. Concentre a atenção em uma pessoa da sua escolha. Procure, na medida do possível, colocar-se no lugar dela em termos de sentimento e, ao mesmo tempo, diga interiormente as seguintes palavras:

1. Essa pessoa também vive — como eu — o medo, a tristeza, períodos de abandono e solidão.

2. Essa pessoa também conhece — como eu — a dor e o desespero.

3. Essa pessoa também aspira — como eu — à felicidade, ao amor e à libertação.

Descubra o seu observador interior

Eduque a sua atenção, aumente a sua percepção

Antes de deixarmos o mundo dos sentimentos para seguir caminho, eu queria mostrar-lhe mais uma técnica simples e útil em qualquer momento na viagem. Trata-se de um exercício de atenção e cuidado, com a ajuda do qual você pode detectar e integrar os seus sentimentos antes de projetá-los no ambiente que o cerca. As situações emocionais no trânsito, na fila demorada do supermercado, nas discussões no trabalho ou nas brigas em família são particularmente adequadas a este exercício. Como já mencionamos e como você mesmo talvez já tenha constatado: cada emoção se aloja em determinadas partes do corpo.

Sempre que topar com uma situação emocionalmente carregada no dia-a-dia, observe e sinta o ponto exato do seu corpo em que o sentimento — de raiva, medo, tristeza ou stress — se manifesta. Concentre-se nessa região durante algum tempo e dirija suavemente a respiração para lá. Afirme o sentimento correspondente. Depois de um período de treinamento, você vai observar que ele vai se tornando mais suportável e se dissolvendo paulatinamente. E mais: será possível resolvê-lo no próprio momento em que surge — antes que ele se instale e se adense em seu corpo e, enfim, chegue a causar problemas físicos.

Este exercício de atenção é uma dádiva para o seu cotidiano. Transmite-lhe um bem-estar integral. Fortalece a sua consciência corporal e ativa a inteligência intuitiva do seu corpo.

Dizer SIM para a minha respiração

O prana permeia todos os seres do Universo.
É pelo prana que eles nascem. É pelo prana que vivem.
E, quando morrem, o prana volta a ascender ao Cosmo.
O prana penetra as nuvens, a terra e todas as formas da matéria.
O prana é a fonte de todo conhecimento.

Do *Upanishad*

Nós chegamos a uma etapa essencial da nossa jornada. Trata-se da respiração e, portanto, da sobrevivência, da qualidade fundamental da vida. Trata-se de reconhecer que você é o próprio criador da sua existência — em todos os momentos. Os pensamentos, as palavras, os sentimentos e a respiração são as ferramentas básicas da sua criação pessoal. Se você se permitir, pode vir a ter, a partir deste instante — aqui e agora —, uma qualidade de vida totalmente nova. Para tanto, não precisa fazer nada. A única coisa que se lhe pede é um pouco de atenção e persistência. E isso a energia doadora de vida e de cura da sua respiração merece.

Há milênios que se conhece a mágica energia da respiração, assim como numerosas técnicas respiratórias que levam a diversas experiências e a vários resultados: desde a melhora da saúde e da vitalidade físicas, passando pela eliminação de bloqueios físicos e psíquicos, pela clarividência e a sensibilidade, até chegar ao desenvolvimento de nossa consciência, do nosso potencial interior e, enfim, a uma superior experiência de Deus.

Descobrir a sua respiração significa liberar e guiar o prana a um objetivo: a energia vital e, portanto, o seu potencial ilimitado. O prana é a força, a energia que tudo move, que permeia o conjunto do Universo. É a causa de cada pensamento, de cada movimento do corpo, de cada palpitar da natureza. O prana é a própria energia que o seu corpo cria e o mantém vivo. O prana está no ar que você respira e no alimento que o nutre. Está no perfume da rosa, tanto quanto no sopro do vento, nas nuvens, na chuva e nos oceanos. Todo o nosso planeta, esse organismo vivo, está impregnado do prana. Ele é o elixir vital da sua existência tomada tanto no âmbito pessoal quanto no seu conjunto.

O prana é a preciosa substância curativa que lhe penetra o corpo e o espírito pela respiração. Desenvolve a inteligência do coração e instiga a lucidez do espírito. O pequenino eu redunda no grande EU SOU. A sua respiração individual vincula-se à respiração eterna do Universo. Elas se fundem em uma só. São os momentos descritos nas escrituras de todas as culturas como aqueles em que o Prana, o Chi, a Luz, o Atma, Deus ou o Tao é vivido em cada célula do corpo e em cada fibra da consciência.

A respiração solar

Mate a sede na fonte da vida

A respiração solar lhe proporciona momentos dessa vivência imediata. Você pode praticá-la de pé, sentado ou deitado. Feche os olhos, veja-se ou sinta-se nu, coberto apenas com a roupagem da pele, em uma localidade ou ponto da natureza, no qual se sente seguro e tranqüilo. Imagine-se — talvez até consiga sentir-se — tocado e acariciado pelos vigorosos e cálidos raios do sol.

Visualize os poros da sua pele como narinas pelas quais você inspira os saudáveis raios de dourada luz solar. Inale-os profundamente, no mais íntimo do seu corpo, até a medula óssea e, ao mesmo tempo, até o fundo da alma.

Expire e repita o procedimento com a inspiração seguinte. Sorva o prana, com a imagem da luz dourada do sol, cada vez mais consciente e profundamente. Repita doze vezes o exercício.

Depois de algum tempo, você pode praticar a respiração do sol com a freqüência que quiser. Imagine, conforme a sua escolha, que cada um dos seus poros está absorvendo os raios solares nas sete cores do arco-íris.

Se fizer este exercício simples com regularidade, pode ser que em breve você viva, no corpo, uma sensação de leveza, de mais energia e permeabilidade.

Se você se entregar ao fluxo revigorante e curativo da respiração, se deixar conscientemente o prana, a energia vital universal, fluir em você e através de você, a sua própria respiração responderá a todas as perguntas que lhe forem feitas. Ela lhe oferecerá a maior dádiva possível: revelará o seu segredo mais profundo, o qual você não encontrará em nenhum livro, em nenhuma sabedoria deste mundo — o segredo que, oculto atrás de todas as técnicas, de todos os conceitos, dogmas e religiões, espera ser descoberto por você: é a experiência de si próprio, o retorno à origem.

Desenvolva uma energia curativa

Ative o médico em você

Quando adoecemos e o nosso corpo dói ou deixa de "funcionar" como de hábito, geralmente tratamos de consultar um médico ou profissional da saúde para que nos cure. E muitas vezes esquecemos que o maior médico está em nós mesmos. A capacidade de autoregeneração do nosso corpo é imensa — basta que a ativemos conscientemente e lhe demos espaço para que ela desenvolva plenamente a sua eficácia. O exercício abaixo ajuda precisamente nisso.

1. Esfregue as mãos até sentir calor e energia entre elas.

2. Ponha-as nos lugares do corpo em que sente tensão, dor ou qualquer outro tipo de desarmonia. Se for um órgão mais profundo, ligue-se a ele, colocando as mãos na região correspondente e desviando para lá o fluxo da respiração e nela concentrando a atenção.

3. *Inspire* — ao mesmo tempo que se imagina permitindo ao prana — a energia vital curativa do seu meio ambiente — carregar todo o seu corpo.

4. *Expire* — enquanto, por intermédio dos braços e das palmas das mãos, concentra toda a atenção na região problemática do seu corpo.

Se quiser e se lhe for conveniente, imagine cores curativas fluindo pelas suas mãos para as regiões afetadas do corpo. As preferidas são o azul-claro, o rosado, o verde, o dourado e o roxo. Sinta intuitivamente qual delas é mais apropriada ao seu caso.

A cura dos órgãos genitais

Livre-se das velhas mágoas

Este método é uma ampliação da fácil, mas eficaz, respiração orientada. Com base na experiência pessoal e nos relatos de gente da minha confiança, eu cheguei à seguinte conclusão: com muita freqüência, as mágoas espirituais profundas ficam imersas na memória celular dos nossos órgãos genitais. A mera liberdade sexual não basta para dissolvê-las ou curá-las. A sexualidade praticada inconscientemente, na busca exclusiva da satisfação dos desejos, tende mais a reativar as velhas mágoas e a criar novas. Então não resta senão asco, desamparo e saciedade. Mas as práticas sexuais inconscientes e mecânicas também servem para escamotear e tornar insensíveis essas feridas e cicatrizes, assim como as dores espirituais a elas ligadas, que estão profundamente incrustadas em nossos órgãos sexuais e genitais.

O fácil exercício de respiração que segue, quando praticado regularmente, pode curar essas feridas pouco a pouco:

De pé, sentado ou deitado, procure relaxar ao máximo. Inspire profundamente. Ao expirar, oriente a respiração, toda a energia e a atenção para os órgãos genitais internos e externos e para os órgãos sexuais externos. Nas mulheres, trata-se do útero, dos ovários, do clitóris e a região perineal; nos homens são o escroto, o pênis e a próstata. Inclua também o ânus.

O exercício será mais eficaz se, ao expirar, você imaginar uma luz dourada ou, conforme a sua intuição, azul-clara, rosada, verde ou roxa fluir em seus órgãos sexuais internos e externos.

Faça este exercício sempre que se lembrar, com a freqüência e a duração que quiser.

O espírito a casa torna

Você é consciência universal,
sempre foi,
sem começo, sem fim.

Agora eu quero lembrar uma vez mais: é você mesmo que, toda vez que respira, inala vida. E esse não deve ser um trabalho árduo. Muito pelo contrário, o respirar consciente é facílimo. Eu sempre observo isso no trabalho com as pessoas e comigo mesma. A experiência pode lhe proporcionar uma alegria genuína e um entusiasmo profundo. *Inspirare* significa entusiasmar-se: o espírito a casa torna e se liga ao corpo. Ambos voltam a ser um só. A dor da separação, as mágoas, a sensação de isolamento e solidão desaparecem pouco a pouco.

Cada qual é responsável pela sua vida e, portanto, pela sua saúde integral. De certo modo, quando você nasceu e se separou do útero materno, os seus pulmões passaram a ser a placenta que o liga, pela respiração, à sua "mãe cósmica", ao mundo, ao Universo — a cada instante, a cada inspiração e expiração. Inspirar significa voltar-se para a vida, absorver energia; expirar significa soltar. É uma eterna circulação do vir a ser, do perecer e do renascer. O seu microcosmo humano, com tudo quanto você é, unifica-se com a existência que o cerca, com o macrocosmo infinito. Então é possível que você tenha uma consciência momentânea da sua imortalidade. É o ponto de partida para se tornar são e inteiro. A tensão se transforma em relaxamento; a estreiteza, em vastidão — e, portanto, em liberdade. O medo se converte em caudalosa energia vital, em amor libertador.

O equilíbrio entre expiração e inspiração reflete a harmonia entre o mundo interior e o exterior, entre receber e tornar a dar.

Basta o simples respirar consciente

A mera observação consciente da sua respiração desencadeia alterações sadias

Às vezes as pessoas me perguntam se estão respirando "certo". Minha resposta é sempre a mesma: não existe "certo" nem "errado". Só existe o respirar consciente e o inconsciente. Basta você observar atentamente a sua respiração para que se produzam alterações sadias. A percepção do corpo aumenta e você descobre, paulatinamente, a harmonia entre corpo, alma e espírito. O respirar consciente significa, primeiro, apenas observar a sua respiração, sem influenciá-la voluntariamente. Desse modo, você pode descobrir em que partes do corpo a respiração flui mais ou menos. Geralmente, ela fica presa no abdômen, no tórax ou na região do pescoço e da garganta. A energia vital se interrompe nesses pontos, o corpo se separa da consciência. Assim, com o tempo, surgem tensões musculares nessas partes, ou então se instalam doenças, que têm facilidade em atacar esses pontos fracos.

Para mim, tais males significam, na linguagem do corpo: tristeza pela perda da consciência justamente nesses pontos fracos. Mas se fizermos com que a respiração flua precisamente nesses lugares, podemos equilibrar pouco a pouco tal desarmonia e diluir vagarosamente a dor. Os pontos afetados — no interior ou na periferia do corpo — podem se regenerar, curar-se e reanimar-se.

Passando a observar conscientemente a sua respiração, você se dá um grande presente: torna-se permeável ao prana. E isso significa recuperar a vitalidade, os sentimentos, a intuição e a criatividade e sobretudo a lucidez do pensamento. Você recobra a confiança primordial, a sabedoria da sua voz interior. Simultaneamente, descobre em si a liberdade suprema e última: a inteligência do coração. Reconhece que a sua verdadeira origem, a fonte de toda a vida está profundamente aninhada em você. A sua respiração individual o leva à sua origem, à sua totalidade, ao seu eu, que reside em você, em cada um de nós e no coração do conjunto da existência.

A onda respiratória

Encontre o equilíbrio entre receber e dar

Nesta etapa essencial da nossa viagem, eu gostaria de lhe propor mais um exercício para que você viva a sua respiração de modo ainda mais consciente. Trata-se de observar o equilíbrio entre inspiração e expiração. E, se quiser, você pode ir um pouco mais fundo e reconhecer e equilibrar a harmonia entre dar e receber, entre pegar e soltar, no seu cotidiano imediato. E, repetindo: não é preciso fazer nada, basta observar e deixar acontecer.

A quantidade de prana que você absorve pela respiração não depende da capacidade dos seus pulmões, e sim do ritmo, da profundidade, da flexibilidade e sobretudo da consciência com que respira. O ideal é inspirar e expirar pelo nariz, com a boca fechada. Quando você expira, o ventre se encolhe, o diafragma sobe e, com esse movimento, massageia o coração. Na inspiração, o tronco se dilata, o diafragma desce e massageia os órgãos do abdômen. O segredo consiste em expirar completamente. Quanto mais ar usado você expelir, tanto mais prana, o sadio elixir vital, será reabsorvido com a inspiração.

1. Sente-se ou deite-se e relaxe completamente. Agora, ao inspirar, observe o fluxo do ar, no interior do seu nariz, penetrando-lhe o corpo, entrando pelas narinas e avançando pela caixa torácica e, daí, aprofundando-se na barriga, nos flancos e na zona lombar — e retornando na seqüência inversa, qual uma onda que flui e reflui com ritmo próprio. Permaneça inativo, deixe a respiração fluir livremente, sem interferir, sem tentar alterá-la.

2. Percebe a diferença entre inspiração e expiração?
Inspirar — tomar e receber.
Expirar — soltar, entregar.
O que é mais fácil para você, o que é mais difícil? Sente algum desequilíbrio? Caso sinta: você detecta a mesma desarmonia no seu dia-a-dia? Tem consciência de que receber pode ser tão difícil quanto dar?
Continue alguns minutos nesse estado de percepção solta, desprendida, e deixe o mais efetivo dos mantras atuar sobre você através da inspiração e da expiração:
SIM ao inspirar, SIM ao expirar.

3. Se quiser, pode recorrer ao seu poder de imaginação: quando estiver inspirando, imagine-se carregando cada célula de seu corpo, tocando cada partícula do seu organismo com o SIM. E, ao expirar, deixe o SIM fluir, indo do corpo para o seu campo energético e mais além.

4. Qual SIM é mais fácil para você? O da inspiração ou o da expiração? Há dois modos de compensar a diferença: conte até cinco ao inspirar e até cinco ao expirar. Estando o déficit na inspiração — isto é, em receber o SIM —, prolongue-a e aprofunde-a, contando até seis ou sete quando estiver inspirando, mas continue contando só até cinco ao expirar. Se a dificuldade estiver na expiração — isto é, no soltar o SIM —, conte até seis ou sete quando estiver expirando, mas continue contando só até cinco ao inspirar.

Procure observar a sua respiração sempre que possível. É o exercício mais fácil de todos. Você pode fazê-lo em qualquer lugar e a qualquer hora, onde estiver e sempre que lhe ocorrer — inclusive em conexão com o Mantra SIM.

Respiração, pensamento e sentimento

A respiração é a ponte entre o corpo, os sentimentos e os pensamentos. Respiração, pensamento e sentimento condicionam-se reciprocamente. A respiração invoca o sentimento. No meu trabalho, eu sempre observo que muita gente tem medo de sentir. É o medo da vida, de respirar, o medo do amor. Uma respiração deficiente gera aflição, irritação e tensão. A incapacidade de respirar fundo, conscientemente, é o grande obstáculo no caminho da saúde emocional, da alegria de viver.

As depressões, as agressões, os medos — todos eles apresentam o padrão característico da respiração irregular. Quando estamos com raiva, nós tendemos a prender a respiração ao inspirar, ao passo que é típico do depressivo suspirar e fazer longas pausas depois de expirar. Quando estamos nervosos ou irritados, nossa respiração se torna breve, acelerada e superficial. Estando estressados, geralmente prendemos a respiração — embora, na verdade, isso aumente o *stress*, a tensão e a irritabilidade. Se, pelo contrário, estamos felizes, respiramos longa e profundamente. Quando sentimos muito medo, a respiração fica entrecortada. E quando estamos muito concentrados, curiosos ou admirados, também prendemos a respiração.

Para poder respirar mais fundo e, assim, fazer com que entre mais prana em seu corpo, é importante esvaziar os pulmões ao máximo. A mesquinhez e a generosidade, em todos os aspectos da vida, consigo mesmo e com o ambiente que o cerca, aparecem claramente no seu modo de respirar. A inspiração e a expiração regular reforçam os órgãos respiratórios e acalmam os nervos, a psique e os pensamentos. Se o ritmo da respiração for irregular, pode-se concluir que a psique também é instável e desequilibrada. As oscilações do estado de espírito e as desarmonias anímico-espirituais determinam a freqüência respiratória. Mas também ocorre o contrário: o respirar consciente pode influenciar positivamente esses distúrbios — sejam do tipo que forem.

A diferença entre inspirar e expirar depende das oscilações a que você está sujeito no cotidiano e do modo como lida com elas. A respiração consciente lhe dá a possibilidade de aprender a estabilizar a respiração e o seu mundo emocional a ela ligado. A respiração do diafragma, profunda e consciente, proporciona-lhe um estado de ânimo relaxado e, ao mesmo tempo, desperto.

Os Cinco Ritos mentais

Descubra o milagre do seu poder de imaginação
em conexão com a respiração

Com esta meditação, você tem mais uma oportunidade de entrar em contato com a meditação corporal dos Cinco "Tibetanos"® de modo totalmente diferente: praticando-a exclusivamente com o seu poder de imaginação e em conexão com o respirar consciente. Ao mesmo tempo, deixe o espírito movimentar-se no corpo como se já tivesse interiorizado cabalmente os Cinco Ritos. Sendo o espírito ilimitado, você pode executar os Cinco Ritos com o máximo de perfeição — apenas com o poder da imaginação e a respiração. Você vai ficar admirado com o que há de acontecer! Pois a mera visão espiritual desses exercícios é extraordinariamente forte.

Ou seja, você pratica os exercícios mentalmente, sentado numa cadeira ou deitado no chão, imóvel. Enquanto isso, imagina que está realmente se movimentando fisicamente. Ao mesmo tempo, respira fundo e conscientemente, em harmonia com o respectivo rito.

Este método surgiu durante os seminários Os Cinco "Tibetanos"® e Formação de Treinadores de Boa Forma Interior®, os quais eu dirijo regularmente com Carlos Liebetruth. Os treinadores preparados por nós perguntavam reiteradamente o que dizer aos participantes dos cursos que desejavam praticar os Cinco Ritos mas, sendo doentes, muito idosos ou deficientes físicos, não tinham condições de fazê-lo e se sentiam excluídos e frustrados. Os Cinco Ritos mentais também são uma autêntica alternativa para os profissionais que viajam muito e não podem executar os movimentos corporais regularmente, assim como para os que, após uma longa jornada de trabalho, voltam para casa exaustos, incapazes de mais esforço físico.

Carlos iniciou a primeira tentativa. Um grupo de alunos teve a oportunidade de participar da experiência, uns sentados, outros deitados, todos envoltos em cobertores quentes. O resultado foi assombroso. Alguns ficaram totalmente exaustos depois de se exercitar mentalmente, outros se sentiram muito energizados, carregados e como recém-nascidos. A circulação se estimulou, o estado de espírito se alterou maravilhosamente. No dia seguinte, alguns chegaram a dizer que estavam com dor nos músculos. Mas também se registraram melhora na irrigação sangüínea e formigamento e vibrações nos pés, nas pernas e nas mãos. Que força mágica têm a nossa atenção, os nossos pensamentos, as nossas imagens interiores e sobretudo a nossa respiração!

Desde então, muita gente encontrou nos Cinco Ritos mentais uma extraordinária possibilidade de aplicar a energia curativa da respiração, em conexão com a magia das imagens interiores, a fim de ter mais bem-estar, relaxamento e alegria de viver.

Mas, antes de também fazer essa experiência, eu lhe peço que releia com atenção o texto "Os Cinco 'Tibetanos'® — agora de modo bem diferente", que se inicia na página 27.

Pronto? Já está comodamente sentado ou deitado? Então vamos começar:

O primeiro rito

O primeiro rito consiste em girar no seu próprio eixo. Comece imaginando que você está de pé, com a sola dos pés bem plantada no chão para lhe dar estabilidade. Erga os braços e una as mãos diante do peito, como se fosse fazer uma oração compenetrada. Sinta as palmas das mãos, sinta a energia que passa por elas. E respire três vezes, bem fundo: *inspirando — expirando, inspirando — expirando, inspirando — expirando.*

Agora separe as mãos, estique os braços como uma águia abrindo as asas para voar. Então se veja, em espírito, começando a girar, cinco vezes à direita, no sentido horário. Ao mesmo tempo, respire — não só na imaginação, respire mesmo — fundo, de maneira audível e consciente, inspirando e expirando pelo nariz.

Por fim, imagine-se voltando a unir as mãos, concentre-se no seu centro, respire fundo mais uma vez, conscientemente. Suas mãos vão descendo com as palmas voltadas para a frente, na conhecida postura do *Wu-Wei*, o chamado gesto da ociosidade. Imobilize-se novamente e, com o seu poder de imaginação, deixe-se envolver pela energia amorosa e radiante.

O segundo rito

Deixe os pensamentos fluírem e, na imaginação, prepare-se para o segundo rito. Lembre-se de que o segundo rito se faz deitado. Você se vê, em espírito, deitando-se de costas, estendendo os braços junto ao corpo e virando as palmas das mãos para baixo.

Enquanto inspira de verdade, levanta — só na imaginação — as pernas e a cabeça ao mesmo tempo. Continua com os ombros encostados no chão. Ao expirar, você torna a baixar as pernas e os ombros diante dos seus olhos interiores.

Repita cinco vezes o exercício na imaginação. Mas não deixe de respirar exatamente como se estivesse deveras praticando o rito.

Inspirar — erguer as pernas e a cabeça.
Expirar — baixar as pernas e a cabeça.

Por fim, você relaxa e fica mais algum tempo deitado, envolto em energia amorosa e luminosa.

O terceiro rito

Deixe seus pensamentos irem e virem como as nuvens no céu, enquanto você se harmoniza para o terceiro rito. Não esqueça que, para tanto, você deve se imaginar de joelhos. Os seus artelhos estão voltados para cima, os pés alinhados com os ombros, e você está ereto dos joelhos até o alto da cabeça. Suas mãos ficam apoiadas nas coxas.

Enquanto inspira audível e conscientemente, use a imaginação para projetar os quadris para a frente o máximo que lhe for possível, os músculos glúteos contraídos, e encostar o queixo no tórax até sentir um puxão agradável na região da nuca. Abra a boca e incline a cabeça para trás. Expirando audível e conscientemente, volte a endireitar o corpo e a encostar o queixo no peito.

Repita cinco vezes este exercício em espírito. Não se esqueça de respirar conscientemente, como se estivesse fazendo verdadeiramente o exercício.

Inspire — quando estiver se inclinando para trás e retesando o arco.
Expire — ao tornar a endireitar o corpo e a encostar o queixo no peito.

O relaxamento ocorre em espírito — na chamada posição fetal. Você apóia as nádegas nos calcanhares, inclina o tronco até encostar a testa no chão e estende os braços para trás, as palmas das mãos voltadas para cima. Procure sentir nitidamente a respiração na região dos flancos e dos rins. Perceba conscientemente que suas costelas se alargam, seus lados se dilatam. Escute o seu interior. Sente a respiração revigorante? Sente a energia da sua respiração?

Para concluir este rito, volte a se envolver na energia amorosa e luminosa.

O quarto rito

Prepare-se agora, na imaginação, para o quarto rito. Lembre-se de começar sentado, com o tronco ereto. Fique com as mãos ao lado do corpo, junto aos quadris, apoiadas no chão, com as pontas dos dedos voltadas para a frente.

Com a força do espírito, imagine o seu corpo na forma de uma mesa. O tronco e as coxas formam o tampo; os braços e as pernas, os quatro pés sobre os quais se apóia o peso.

Expirando de verdade, dobre o pescoço e encoste o queixo no peito.

Ao inspirar, erga o corpo e, com a boca aberta, incline a cabeça lentamente para trás. Quando voltar a expirar, retorne à posição inicial e encoste uma vez mais o queixo no tórax. À parte isso, sente-se no lugar em que estava antes de levantar o corpo.

Vejamos uma vez mais o ritmo da respiração:

Inspire — quando erguer o tronco e, com a boca aberta, inclinar a cabeça para trás.
Expire — ao voltar à posição inicial e encostar o queixo no peito, inclinando o pescoço.

Por fim, em espírito, fique na posição de relaxamento: dobre os joelhos, apóie neles as axilas, de modo que seus braços fiquem soltos entre os joelhos. Respire fundo e conscientemente algumas vezes nas costas, principalmente nos flancos e na região dos rins.

O quinto rito

Imagine-se deitado de bruços, com as palmas das mãos pousadas no chão, à altura de seus ombros; fique com os artelhos dobrados para a frente.

Ao contrário dos demais exercícios, inicie o movimento expirando.

Enquanto expira audível e conscientemente, erga primeiro a cabeça, depois os ombros, os quadris e os joelhos. Seu corpo forma um arco apoiado unicamente nas palmas das mãos e nos dedos dos pés. Braços e joelhos esticados. Os músculos glúteos estão contraídos; a cabeça, inclinada para trás; a boca, aberta.

Inspirando conscientemente, vá erguendo as nádegas devagar, incline a cabeça sobre o peito e plante os calcanhares no chão. Mantenha os joelhos e os braços esticados. Em espírito, você pode executar este exercício até o fim. O seu corpo forma um perfeito V invertido.

Lembre-se de:

Expirar — ao erguer o tronco, formando um arco para trás.
Inspirar — ao erguer os quadris lentamente para formar o V invertido.

Na imaginação, você termina deitando-se de bruços novamente, dobrando o joelho direito e erguendo-o o máximo possível; estenda o braço esquerdo junto ao corpo; dobre o direito à sua frente e relaxe-o. Antes de mudar de lado, respire fundo e conscientemente algumas vezes. A cada respiração, procure afundar no chão; relaxe e deixe os

Cinco Ritos ressoarem mentalmente; para terminar, deixe-se envolver em energia e luz amáveis.

Ampliar o coração e o horizonte

Eu conheci o bem e o mal,
o pecado e a virtude,
o justo e o injusto.
Julguei e fui julgado.
Passei pelo nascimento e pela morte,
pela alegria e pela tristeza, pelo céu e pelo inferno.
E enfim reconheci
que estou em tudo e tudo está em mim

HAZRAT INAYAT KHAN

A respiração o leva imediatamente à sua alma, ao seu núcleo essencial mais interior e a tudo quanto existe ao seu redor. A respiração é como o mergulho da onda no oceano universal — você imerge nas profundezas da sua essência original, na qual se oculta o seu segredo. Ela o liga a tudo o que vive. Um dia você vai descobrir que não há diferença alguma entre o mundo interior e o exterior. Seu coração é tangível e aberto, seu horizonte se ampliou. Você se vê com outros olhos e ao mundo lá fora. Talvez se perceba como microcosmo, mas também como parte do macrocosmo. Pela respiração, você estende uma ponte entre ambos.

A respiração, sendo uma eterna acompanhante e uma sábia mestra, leva-o ao seu centro interior e, de lá, novamente para fora — desde que você esteja disposto a aceitar a vida e, com ela, o amor. Nessa viagem importantíssima, às vezes é possível reconhecer a sua respiração como uma amante capaz de um amor incondicional e sempre ao seu dispor, pouco importa que você empreenda a viagem para fora ou para dentro. Por vezes, eu vivo a respiração em mim e através de mim como um "libertador jogo de amor com o Criador" — com o infinito, todo-poderoso e eterno amante que não faz perguntas nem impõe condições: por quê? quando? com que freqüência? A nossa respiração *é* simplesmente, em toda parte e em qualquer tempo, uma espécie de "Oração à Criação", uma oração eterna, palpitante, não-verbal: entrando — saindo — entrando — saindo. Ademais, pode sanar tudo o que é doentio, degradado, inconsciente e limitado. É livre de conceitos, expectativas e ilusões. Não conhece dogmas, nem normas, nem religiões, nem convenções. E não conhece lei, idade, sexo nem raça. Sua respiração o conduz imediatamente à liberdade. E isso significa: libertação da respiração e sopro da eternidade.

Meditação respiratória

Reconheça e concilie as suas contradições

Sua respiração é como um pêndulo: entra — sai — entra — sai. Liga o seu mundo interior ao exterior. Além disso, penetra e liberta tudo quanto há de degradado e estagnado em você. A meditação respiratória simples que segue elimina as tensões e os bloqueios em seu corpo, as emoções em sua psique, os condicionamentos inúteis e os conceitos enferrujados em seu cérebro. A respiração integrativa lhe possibilita conciliar as suas contradições, libertando-o do mundo separador da dualidade — e, ao mesmo tempo, das conseqüentes avaliação e desvalorização de si mesmo e dos seus semelhantes.

Você pode fazer em toda parte e a qualquer hora a meditação respiratória que eu vou propor. E também pode modificá-la de acordo com suas necessidades momentâneas. Ela o ajuda a aceitar a si mesmo tal como você é ou está em cada momento. O método consiste em vincular a respiração a duas palavras: uma positiva e uma negativa.

1. Imagine-se inspirando o positivo, carregando com ele todas as células do seu corpo e permitindo que a respiração atinja as camadas mais profundas do seu ser — o corpo, a alma e o espírito.

2. Você expira o negativo, imaginando e — o que é mais importante — confiando em que seu organismo, a sabedoria do seu corpo, a inteligência do seu coração e a sabedoria do seu espírito se desfazem de tudo quanto é inútil em sua vida.

Inspire amor — expire medo
Inspire alegria — expire tristeza
Inspire paciência — expire impaciência
Inspire tolerância — expire intolerância
Inspire coragem — expire covardia
Inspire força — expire fraqueza

Você pode escolher esses pares opostos de acordo com a sua situação atual e, naturalmente, pode criar outros — conforme os sentimentos que deseja atrair e/ou eliminar.

3. Para terminar, a partir do seu subconsciente, deixe entrar uma palavra, da qual você deseja se "aproximar", que ative o seu médico interior e apóie o seu tornar-se inteiro. Inspire essa palavra e, ao mesmo tempo, imagine cada célula do seu corpo, cada dobra do seu cérebro, cada fibra da sua consciência sendo programada com ela. Então expire-a e programe do mesmo modo o seu campo energético, a sua aura e, mais além, o seu ambiente imediato.

Após algum tempo de exercício regular, é possível chegar a um estado que fica além de todas as contradições, com o qual você se identifica normalmente. Então, também lhe será possível reconhecer muitas coisas em você e ao seu redor como equivalentes e, desse modo, livrar-se da avaliação "bom" e "ruim".

A oração respiratória

Experimente-se como co-criador

A oração respiratória é uma agradável variante da meditação respiratória. Ajuda-o a viver imediatamente o corpo, o espírito e a alma como uma unidade. E a oração respiratória lhe permite ligar-se à inteligência criativa, à força criadora em você e ao seu redor. É particularmente eficaz ao ar livre, em contato com a natureza. Com a prática regular, é possível que você se vivencie como parte da Criação. A ioga é justamente isso. Não há necessidade de ler livros a respeito, você pode viver a experiência imediata em si próprio.

1. *Inspire* ao mesmo tempo que diz interiormente: "Eu te respiro."
Expire ao mesmo tempo que diz interiormente: "Tu me respiras."

2. E, invertendo a seqüência:
Inspire, dizendo interiormente: "Tu me respiras."
Expire, dizendo interiormente: "Eu te respiro."

Tua respiração é uma torrente
que corre do teu plano físico
para o teu centro mais interior,
uma torrente que abre caminho no corpo,
na alma e no espírito.
Corre até o teu núcleo essencial mais íntimo
e retorna.
Liga-te a tudo quanto existe.

HAZRAT INAYAT KHAN

Dizer SIM para os meus pais

Você não pode mudar o mundo,
nem mudar as outras pessoas.
Mas pode mudar o seu modo de perceber
o mundo, os outros e a si mesmo.

GERALD JAMPOLSKY

Você já tentou saltar a sua própria sombra? Se tiver tentado, será que conseguiu? E isso durou? Nesse caso, pode saltar tranqüilamente este capítulo. Mas eu lhe recomendo uma breve pausa para respirar. Reserve algum tempo para refletir sobre a sua relação com os seus pais — ainda que já tenham morrido. Mesmo assim, eles continuam vivos em você. Esta também é uma etapa importante da viagem. Se você quiser ser franco consigo, olhe de frente para a sua sombra pessoal. Procure conhecê-la de perto, conciliar-se com ela e, enfim, integrá-la. Ao mesmo tempo, este processo afetará a sua relação com os seus pais. Também neste caso, são possíveis a cura e a reconciliação.

Na infância, a gente sente pelos pais um amor incondicional e uma confiança absoluta. Seu pai e sua mãe são o primeiro homem e a primeira mulher que você amou na vida. Mas houve um momento em que, pela primeira vez, eles agiram de modo a destruir essa imagem irretocável. A dor e a decepção podem ter sido tão violentas e insuportáveis que você as suprimiu e as recalcou no subconsciente. E, do mesmo modo, recalcou e encerrou a imagem original e perfeita dos seus pais. Substituiu-a por outra, constituída pela soma das dolorosas lembranças da infância, as quais até hoje estão armazenadas em todas as células do seu corpo, no seu pensamento e no seu coração. Ao mesmo tempo, deixou de ter estima pelos seus pais.

Enquanto você não se reconciliar com os sentimentos e imagens negativos de medo, raiva, tristeza, desamparo e impotência, eles continuarão instalados em você como um programa de computador. Podem causar problemas sérios no seu pensamento, no seu corpo e no mundo dos seus sentimentos: desarmonias que lhe afetam a saúde da alma e do espírito. Isto, por sua vez, reflete-se no seu dia-a-dia: repetindo-se nas situações de conflito no âmbito das relações profissionais e interpessoais. Já reparou nisso? Em você ou nas pessoas que lhe são próximas?

Liberte a sua sombra mascarada

Viajas ao desconhecido.
Ele ainda está envolto em densa neblina.
ELE reside em ti.
Sim, na tua alma, no teu coração
dorme a tua redenção.
E esse é o segredo da tua alma...

KHALIL GIBRAN

Você consegue admitir a idéia de que, por trás desses padrões de relação e comportamento, se esconde nada menos que a sua sombra — a sua sombra pessoal e irremível, que vive procurando chamar a atenção das mais diversas maneiras para exigir redenção ou integração? A sua sombra sabe se dissimular muito bem. Gosta, por exemplo, de se fantasiar de pessoas que chegam de fora e entram em sua vida para pôr o dedo nas feridas do seu passado, essas feridas tão antigas, profundas e ainda abertas. Tem preferência por se travestir na pele do amante ou amado, do melhor amigo ou colega de confiança. Se ela se apresentasse de pronto, é bem possível que você tratasse de fugir. Mas, em geral, ela se revela justamente quando você menos espera, justamente quando a sua confiança infantil original volta a entrar em cena. Então, sim, a sua sombra se mostra: o seu reverso, o seu lado obscuro.

E como você reage? Retira o amor e a estima do companheiro ou companheira da sua vida, do melhor amigo ou colega de trabalho. Refugia-se no papel de vítima. Culpa-os pela sua dor pessoal, a dor incurável que o persegue desde a infância. Trata-se da mesma sombra irremível que, nas mais diversas formas — por exemplo, o medo, a raiva contida, o desespero, o ciúme ou o desamparo — o rói por dentro e inclusive é capaz de destruí-lo em termos tanto físicos quanto psíquicos e espirituais. Essa mesma sombra, você a descobre como um espelho nos seus semelhantes — e, além disso, em todo o mundo.

A sua sombra mascarada pode chegar de fora para visitá-lo, mas também de dentro. Muitas vezes, usa a doença como "disfarce". Gosta de se fantasiar de carcinoma, sobretudo quando o doente sofre de forte sentimento de culpa, está amargurado com a vida e tem dificuldade de perdoar a si e aos outros. A sombra trabalha com a culpa e a inculpação. Mas também pode assinalar sua presença nas depressões, nas neuroses e mesmo nas psicoses graves. E quanto menos você quiser encará-la, quanto mais a recalcar, mais imprevisível e violentamente ela se manifesta e mais implacavelmente vem bater na sua porta — até ouvir o SIM redentor provindo do fundo da sua alma.

Mas como isso é possível? Como você há de conhecer a sua sombra e inclusive fazer amizade com ela? Como transformar a energia de um inimigo destrutivo na de um amigo solidário? Pois saiba que é possível! Mas com uma condição. Você é capaz e está disposto a perdoar? O perdão é a chave para reconhecer a sua sombra pessoal, aceitá-la e, desse modo, livrar-se de seus grilhões. Permite-lhe deixar de procurar a culpa exclusivamente no seu meio e nos seus semelhantes e reconhecer as experiências externas como um reflexo dos seus pensamentos e sentimentos e assumir a responsabilidade por isso.

Nesta importante etapa da nossa viagem, eu lhe peço que experimente pelo menos uma vez os métodos oferecidos neste capítulo. Eles funcionam, acredite. Eu sei por experiência própria e por tê-los observado em outras pessoas. Pois aquele que não consegue perdoar e esquecer é amargurado, cheio de rancor, agressões, medos e tristeza. E atribui a responsabilidade exclusivamente ao meio que o cerca. Quem não perdoa vive encerrado na prisão do passado. Cria o futuro a partir das experiências limitadoras do passado, ao qual está preso há anos, talvez a vida inteira, e do qual não quer se libertar. Por isso, sempre volta a cair nas mesmas situações ou em situações parecidas. Ele as atrai ao seu mundo feito um ímã.

Um método bem-sucedido para aliviar a dor, para eliminar os velhos programas, os condicionamentos enferrujados e as respectivas reações automáticas é o da reconciliação com os pais. Pouco importa que estejam vivos ou mortos. Eles continuam vivos em você. Por isso, a reconciliação só pode ocorrer em você e por seu intermédio.

Os seus pais estavam mais perto de você no momento do seu nascimento, no tempo em que você era inocente, inativo, cheio de confiança e amor incondicional. Ainda não havia nenhuma sombra. Esta tem crescido com você até hoje, até agora. E influencia o conjunto da sua vida. Você não pode suprimi-la. Não pode fazer pouco caso dela nem eliminá-la. Só há uma possibilidade: aceitá-la e integrá-la. E isso opera verdadeiros milagres.

A figura-chave, na sua capacidade e disposição para receber, aceitar e entregar-se é a sua mãe. Realizar os impulsos criativos na vida, aplicar a sua criatividade ao cotidiano, tornando-a visível e bem-sucedida, tudo isso são qualidades masculinas, representadas pelo seu pai. Quando as duas coisas estão em equilíbrio — o receber e o transformar o recebido, aplicando-o à vida —, você vive em harmonia.

Uma carta importante

Reconcilie-se com os seus pais

Esta meditação escrita é um exercício extraordinariamente eficaz para a libertação da sua sombra.

1. Reserve pelo menos uma hora para escrever uma carta à sua mãe e ao seu pai — talvez sejam as duas cartas mais importantes da sua vida. Elimine todos os fatores perturbadores externos. Talvez você queira acender uma vela: um gesto ritual de preparação que o ajuda a concentrar-se. Comece pelo seu pai. A sua imagem de pai simboliza o princípio da criação — quer dizer, representa a sua capacidade de pôr a criatividade para fora e realizá-la no mundo.

Volte a atenção para dentro e deixe a imagem do seu pai ou da figura masculina que marcou essencialmente os primeiros anos da sua vida aparecer diante dos seus olhos interiores. Imagine-o sentado à sua frente, aqui e agora. Procure ver o seu exterior, a sua roupa. Se possível, acione todos os sentidos para "receber": ouça a sua voz, ouça as palavras que ele costuma (ou costumava) lhe dizer. Talvez você consiga até sentir-lhe o cheiro. Repare também em suas características particulares.

2. Feito isso, comece a escrever. Conte ao seu pai tudo que você calou até agora, tudo que sempre quis lhe contar, mas nunca se atreveu por medo de perder o seu amor e a sua estima. Escreva do fundo do coração. Não tenha pressa. Você vai ficar admirado com as muitas lembranças soterradas, com os muitos sentimentos e emoções sepultados que podem vir à tona.

3. Faça uma breve pausa e examine-se por dentro. Mas cuidado para não ficar muito tempo no papel de vítima e inclusive para não voltar a se identificar com ele. Este exercício visa a libertação! Somente se você estiver cem por cento empenhado em renunciar ao papel de vítima é que o ritual surte efeito. Agora conte ao seu pai tudo que você gosta nele. Mergulhe muito conscientemente nessas lembranças e sentimentos positivos. Não se apresse, demore o quanto for necessário. Este ponto influencia especialmente o efeito curativo da sua carta.

4. Reflita sobre o aprendizado e os conhecimentos positivos que você poderia retirar agora das suas mágoas e lembranças dolorosas, sobre a influência positiva que essas feridas podem vir a ter e inclusive já tiveram sobre o seu comportamento e a sua vida atuais. Pode ser que esta parte do exercício lhe pareça um pouco difícil no começo. Mesmo assim, escreva ao seu pai tudo que lhe ocorrer. É possível que tenha de repetir várias vezes esta seção até ficar realmente em condições de aceitar, interiormente, o seu pai e até mesmo o seu comportamento negativo ou magoante. Sem sentimento de culpa, procure transformar o não em SIM. Mas preste atenção: enquanto não der ao seu

pai o reconhecimento e o afeto que você, como filho magoado, lhe negou, dificilmente conseguirá resolver a sua imagem masculina negativa. E isso bloqueia o fluxo da sua criatividade e a sua capacidade de realizá-la no mundo, tornando-a visível e bem-sucedida.

Portanto livre-se do papel de vítima e assuma a responsabilidade pela sua vida — tanto presente quanto passada. Se não estiver disposto ao SIM imediatamente, exercite-se com paciência. Repita este ritual várias vezes e procure avançar por etapas. Em algum momento, ainda que timidamente no começo, o SIM libertador e curativo há de jorrar como que por si só do seu coração.

5. Por fim, prepare a seguinte lista: do lado esquerdo, enumere todas as características negativas do seu pai e, do lado direito, todas as positivas. A seguir escolha, em cada lado, aquela que o toca mais profundamente ou a que você mais rejeita. Você tem coragem, disposição e sinceridade para detectar essas mesmas características na sua própria personalidade? Caso tenha, consegue aceitar essas qualidades sem se envergonhar do lado negativo, sem se condenar nem se sentir culpado? Isso também se pode exercitar! Afirme essas qualidades. Repita o SIM interior a si mesmo com toda a freqüência possível: que você agora é como é, embora ao mesmo tempo tenha consciência de que pode mudar.

O quinto ponto pode ser aplicado a qualquer pessoa — homem ou mulher — com a qual você viva situações difíceis em algum momento.

Por fim, seria bom ler a carta que você escreveu ao seu pai para uma pessoa de confiança e conversar com ela sobre as características que escolheu.

Repita muitas vezes essa carta (principalmente o ponto quatro!), até conseguir ter sentimentos realmente pacíficos, harmônicos e amorosos pelo seu pai. Vale a pena! Se lhe parecer conveniente e se o seu pai ainda estiver vivo, envie-lhe uma versão mais elaborada da carta. Caso ele já tenha morrido, leia-a — em voz alta ou não — diante do seu túmulo e depois a queime. Imagine que a fumaça transmite ao seu pai as linhas que você escreveu — no mundo espiritual ou no lugar onde ele está agora.

Redija do mesmo modo — isto é, passando pelos pontos de um a cinco — uma carta à sua mãe ou à primeira referência feminina da sua vida. A figura materna simboliza o princípio do receber, do aceitar, a abnegação e a clareza do coração, o mundo dos sentimentos. Ela continua viva no seu íntimo, com todas as suas características, e deseja ser libertada em você e por seu intermédio. Visualize a sua mãe do mesmo modo como visualizou o seu pai. Lembre-se da sua voz, da sua aparência, do seu vestido preferido, talvez também do seu cheiro. Se for necessário, reescreva a carta até conseguir experimentar um sentimento de paz, harmonia e integração. O mesmo vale para a lista de características negativas e positivas da sua mãe, assim como para a carta mais elaborada que ela receberá pessoalmente ou que você vai ler e queimar diante do seu túmulo.

Se conseguir enxergar o mundo, ainda que só por um momento, pelos olhos da sua mãe, pelos olhos do seu pai — sobretudo naquele momento em que eles agiram de um modo que lhe pareceu tão incompreensível —, você pode entender que todas as pessoas, em todos os momentos, fazem aquilo de que são capazes. Se puder perdoar o seu pai e a sua mãe, voltando a lhes oferecer estima e afeto, você conseguirá perdoar-se a si mesmo por todo o sofrimento e todas as mágoas que já causou.

Pois, se for capaz de curar a sua relação com os seus pais, será capaz de curar a sua relação com todos os seres humanos. Desse modo, estará curando a mais importante de todas as relações: a que tem consigo próprio, com a sua realidade interior, com a verdade que você incorpora.

A meditação da rosa

Cure os seus sentimentos

Depois de escrever para os seus pais, você pode lhes ofertar uma rosa num gesto de conclusão. Mas também pode realizar esse ritual interior independentemente disso. A meditação da rosa revelou-se muito eficaz na cura do coração e dos sentimentos. Quase todas as culturas atribuem a essa flor um significado simbólico, geralmente espiritual. Por exemplo, os sufis consideram a alma da rosa uma essência curativa que existe dentro do sangue. Comparam essa essência com a alma humana dentro do corpo.

A meditação sobre o símbolo da rosa ajuda-o a se religar ao seu coração. Permite-lhe tocar partes profundas do seu eu, de modo a liberar os impulsos de cura diretamente de sua alma. A rosa ativa a força do perdão e o fluxo do calor e do amor humanos.

1. Sente-se em uma cadeira ou no chão e relaxe. Concentre a atenção na cavidade torácica, bem atrás do esterno. Se quiser, encoste as pontas dos dedos nele. Passe dois ou três minutos respirando ali, muito conscientemente, e mantenha a atenção apenas nesse lugar.

2. Imagine esse ponto do seu peito dilatando-se pouco a pouco, tornando-se cada vez mais espaçoso, abrindo-se milímetro por milímetro. Então visualize um botão de rosa brotando exatamente aí e crescendo para fora. Continue respirando — fundo, devagar e com cuidado. Cada vez que você inspira, o botão aumenta um pouco; cada vez que você expira, ele vai se abrindo, pétala por pétala. Sinta-o e continue respirando. Deixe a sua rosa tomar cor. Veja que cor se harmoniza mais com você no momento, que tamanho a flor deve ter. Talvez convenha imaginar até mesmo umas gotas frescas e curativas de orvalho a lhe adornarem as pétalas e visualizá-la de maneira mais plástica.

3. Quando a sua rosa tiver desabrochado completamente, chame os seus pais na imaginação — primeiro sua mãe, depois seu pai. Visualize-os sentados à sua frente. Consciente e lentamente, entregue a cada um deles uma flor do seu coração, como um gesto curativo de sua parte. Talvez lhe ocorram espontaneamente algumas palavras para acompanhar o gesto, algo que você ainda deseja dizer aos seus pais — impulsos oriundos do seu espaço cardíaco.

4. Por fim, se quiser, imagine vocês três de mãos dadas — sua mãe à esquerda, seu pai à direita —, fazendo com que a energia curativa da rosa gire uma vez mais ao redor dos seus corações. Depois de realizar a meditação da rosa algumas vezes, é bem possível que você perceba que já não há separação entre os seus corações, que a sua parte parental exterior é um reflexo de você mesmo, o qual, graças ao símbolo curativo da rosa, você pode abraçar e integrar a si.

Naturalmente, você pode realizar essa meditação não só com os seus pais, mas com qualquer pessoa — as que lhe são muito próximas e, principalmente, aquelas com as quais você tem problemas. Você vai ficar admirado com a mudança em seu relacionamento.

A força do perdão

O perdão perante você mesmo e os seus semelhantes
é o remédio mais eficaz para livrá-lo
dos medos e sentimentos de culpa
mais profundamente arraigados.

É com os sentimentos de culpa e as inculpações, com o medo da perda e da dor da separação que nós insistimos em nos identificar. Mas a culpa, o pecado e tudo que a eles se liga são uma criação do nosso limitadíssimo mundo pessoal. Nós os cultivamos e nutrimos. E, em geral, temos dificuldade para nos livrar deles. Muitas vezes, nem chegamos a notar que, atados ao passado, há muito nos tornamos seus escravos. Assim, esses conceitos morais se convertem em um grande obstáculo quando se trata de nos ligarmos à nossa verdade superior.

O medo da perda, o medo da morte, o ódio e a dor fazem parte da nossa vida: sombras do que realmente somos. Mas, enquanto mantivermos essas sombras escondidas, negando-nos a reconhecê-las, elas obstruirão nossa viagem ao espaço da paz, da liberdade, da leveza e do amor infinito. Nós ficaremos presos aos emaranhamentos inconscientes — muito longe da nossa verdadeira pátria.

O perdão é a ponte para a saúde psicoespiritual. É um dos segredos mais importantes que — uma vez desvendado — nos leva da existência obscura para a verdadeira vida, das limitações dolorosas para a liberdade redentora. O perdão é a chave mais eficaz da saúde integral. Permite-nos aceitar e enfim integrar as nossas sombras.

Se aceitar as suas sombras, você voltará a ser uma pessoa inteira. Pois é impossível aceitar-se — e muito menos ser você mesmo — sem encarar e aceitar todas as suas facetas. Assim que se conhecer e se amar, você será capaz de aceitar e amar todas as outras pessoas. E terá força para perdoar aquelas que o magoaram.

Sendo capaz de perdoar — a você mesmo, aos que você magoou, aos que o magoaram — você passa por mais um salto quântico. Talvez então venha a compreender a maior de todas as artes: a arte de viver, que consiste em encarar realmente todas as situações como experiências de aprendizagem, como oportunidades que a sua alma lhe oferece de enfrentar tudo quanto entra em sua vida com uma postura interior de tolerância e perdão — a você mesmo, aos seus semelhantes e a todos os seres vivos. Desse modo, conceitos como culpa e inculpação desaparecem para dar lugar ao conhecimento e à chance de crescer. Com um pouco de distanciamento, você reconhece as experiências e as situações exteriores como reflexos da sua personalidade, projeções dos seus próprios pensamentos e sentimentos. Consegue, cada vez mais, aceitá-los e assumir a responsabilidade por si próprio. Fica liberto do papel de vítima.

A chama violeta

Perdoe-se a si mesmo e liberte-se dos emaranhamentos limitadores

Você pode fazer este exercício purificador em qualquer lugar e a qualquer hora, de preferência alguns minutos por dia. Se persistir durante 21 dias seguidos, é possível que fique surpreso com o fardo de que se livrou.

Ao iniciar, convém eliminar todos os fatores perturbadores externos. Mas não tardará que, mesmo em meio a um grande tumulto, você consiga se envolver na luz violeta da proteção e do perdão, ainda que durante apenas alguns segundos.

Em muitas tradições, a cor violeta simboliza a purificação, a redenção, a libertação e o perdão.

1. Sente-se comodamente numa cadeira e endireite bem a coluna vertebral. Concentre a sua atenção no alto da cabeça. Visualize, cerca de dez centímetros acima dele, uma chama violeta que cresce um pouco cada vez que você respira. É possível que, depois de algum tempo, lhe venha um formigamento e uma vibração no alto da cabeça.

2. Imagine que, ao inspirar, você inala profundamente a chama violeta e que, a cada expiração sua, ela vai se espalhando uniformemente pelo seu corpo e, além disso, começa a tingir o seu campo energético, a sua aura. Toda vez que respira, você vai se envolvendo mais nessa chama violeta e por ela vai se deixando penetrar. Continue respirando até se sentir completamente encasulado em luz violeta — o corpo inteiro, da raiz dos cabelos à sola dos pés e mais além. O seu corpo energético, o seu subconsciente, tudo ficará mergulhado nessa luz.

3. Agora se visualize entregando à luz violeta, cada vez que expira, tudo quanto o limita, tudo quanto estorva a sua alegria, a sua compaixão e o seu amor e que você não quer mais, não necessita mais. A cada expiração, entregue essas coisas à chama violeta purificadora, que tudo absorve e tudo transforma.

A respiração da cruz

Concentre-se no seu centro
e dilua os seus sentimentos de culpa

A nossa respiração liga o corpo à alma, a matéria à consciência. Nossa alma reage a símbolos como o da espiral, o do círculo, o do lótus, o da rosa ou o da pirâmide — e, naturalmente, a muitos outros. A maioria dos símbolos existe há séculos ou mesmo há milênios. Um desses símbolos antiqüíssimos é a cruz. Ele se encontra em todas as culturas. É o símbolo da tetralogia, da polaridade em desenvolvimento. A cruz representa a morte e o renascimento, a ligação e a integração de todas as polaridades. O braço vertical simboliza o princípio do espírito; o horizontal, a matéria, o mundo dos fenômenos. Os dois madeiros que se cruzam podem representar qualquer dualismo. Luz e sombra, masculino e feminino, espaço e tempo, corpo e espírito. Quem reconhecer o quinto ponto nessa tetralogia, a quintessência, toca o ponto da redenção e da libertação. É o espaço da transformação definitiva: aqui, Jesus se transforma na consciência de Cristo; o corpo, em luz; e a morte, em vida eterna.

No centro, onde os dois braços se cruzam, surge o vínculo redentor; aqui, tudo o que está separado pode voltar a se unir, a se unificar. Neste espaço, nós transcendemos a dualidade. Nele se realiza a redenção curativa — e isso significa a libertação do coração.

1. A respiração cruzada tem mais eficácia se você a praticar de pé ou deitado. Imagine o seu corpo formando uma cruz, uma cruz de radiante luz dourada ou branca. O braço vertical começa no alto da sua cabeça e vai até a sola dos pés — e mais além. O horizontal se estende da palma da sua mão esquerda, passando pela caixa torácica, até a palma da mão direita. Fique com as pernas esticadas e unidas, estenda os braços à altura do coração, as palmas das mãos voltadas para cima.

2. Depois de passar algum tempo visualizando e sentindo no corpo o símbolo da cruz, concentre a atenção no seu centro, ou seja, no lugar onde os braços da cruz luminosa se encontram. No seu corpo, ele corresponde ao espaço atrás do esterno. Respire alguns minutos longa, suave e conscientemente; ao mesmo tempo, procure mergulhar cada vez mais nesse espaço.

3. Agora saia lentamente e volte a atenção para o alto da sua cabeça. Imagine uma esfera de luz branca ou dourada. Ao inspirar, conduza a esfera de luz ao seu coração e, simultaneamente, diga interiormente as palavras "EU SOU". Quando você expirar, desloque a esfera luminosa do coração para a sola dos pés e pronuncie a palavra "Luz". Imagine a esfera luminosa penetrando cada célula do seu corpo, cada recesso da sua consciência.

Inspire e expire de três a cinco vezes.

4. Por fim, concentre sua atenção na palma da mão esquerda. Imagine nela a mesma esfera de luz. Quando você estiver inspirando, ela correrá da palma da mão esquerda para o centro do seu tórax, isto é, para o seu centro cardíaco, enquanto você pronuncia interiormente as palavras "EU SOU". Ao expirar, transfira a esfera de luz do centro cardíaco para a mão direita. Receba-a à esquerda, deixe-a fluir para a direita e devolva-a ao mundo exterior com a mão direita; diga ao mesmo tempo a palavra "amor".

Inspire e expire de três a cinco vezes.

Em síntese:

1. *Inspirando*: "EU SOU" —
do alto da cabeça até o centro cardíaco

2. *Expirando*: "Luz" —
do centro cardíaco até a sola dos pés

3. *Inspirando*: "EU SOU" —
da palma da mão esquerda até o centro cardíaco

4. *Expirando*: "Amor" —
do centro cardíaco até a palma da mão direita

Para terminar, torne a mergulhar profundamente no espaço do seu coração e observe o que há lá — sem expectativa, sem objetivo, sem nada querer. Passe aproximadamente um minuto respirando suavemente nesse espaço.

Dizer SIM para a própria essência

Só em ti encontras libertação.
Só em ti te podes dessedentar
na "fonte da vida eterna".
Portanto, busca-te a ti mesmo
no fundo do teu coração.
E descobrirás:
Tudo está em ti — e em tudo estás.

Neste capítulo, eu vou acompanhá-lo à nossa quinta e última etapa. Talvez você já tenha descoberto, no caminho, *o que* o espera aqui. E sabe que, neste ponto, são poucas as palavras necessárias. Pois nele se encontra a sua essência atemporal, a qual, aliás, já nem deve ser chamada de "sua", uma vez que é infinita, atemporal e impessoal.

A libertação do coração

O coração não é
apenas um músculo no teu peito.
É também
o centro místico do amor.

DAN MILLMAN

Antes de me despedir, eu gostaria de lhe entregar os meus últimos pensamentos, experiências e exercícios essenciais. Todos eles visam a grande e derradeira meta, que é a de levá-lo à essência do seu ser. O portal que você deve transpor, no caminho, é o seu coração — o seu coração desperto e liberto.

Naturalmente, o despertar precede a libertação. Afinal, como seria possível libertar algo que ainda não despertou? Acaso há libertação para o petrificado, entorpecido, congelado ou morto? Há, mas só se ele primeiro despertar do sono profundo e do entorpecimento. As duas coisas são inseparáveis.

A coragem e a disposição de despertar o coração e de se unificar com a sua essência verdadeira geram, simultaneamente, a libertação do coração, que é o máximo que uma pessoa pode se dar de presente. À medida que o seu coração vai despertando, a sensação de isolamento e separação de si mesmo, dos seus semelhantes e do mundo começa a empalidecer gradativamente. Pouco a pouco, você passa a perceber a vida e tudo quanto existe de um ponto de vista totalmente diferente.

Pois bem, nas primeiras quatro etapas você se preparou para este despertar. Mas, antes de transpor o portal desta última paragem, eu gostaria de lhe fazer algumas recomendações importantes. O último passo exige coragem. Enquanto o seu coração não estiver desperto, amor e compaixão não passarão de palavras vazias. Se você não se perdoar, não se amar nem deixar que o amem, como há de encontrar em si essa qualidade especial do coração, que é a precondição para perdoar e amar os semelhantes? Agora, uma vez mais, você tem a possibilidade de exercitar o SIM para a sua essência — o SIM fundamental para si.

Dizer **SIM** *para você*

Seja você mesmo

Se prestar atenção ao seu interior, você se verá a si, à sua vida e ao seu meio de um ponto de vista muito diferente. Se deixar a atenção passar algum tempo no fundo do seu espaço torácico, sem idéias nem expectativas, é bem possível que não tarde a ouvir e sentir as batidas do seu coração. Esse ritmo determina a sua vida. Deixe-o voltar a viver. Dê-lhe espaço e tempo. Talvez em breve você tenha uma sensação de amplitude, calor, confiança e serenidade. Deixe-se tocar no fundo do coração, primeiro por você mesmo, depois, pouco a pouco, pelos seus semelhantes, pela natureza e por tudo o que o rodeia.

1. Fique de um a três minutos por dia com toda a atenção concentrada no coração. Procure entrar em contato com ele. Sinta onde ele vive. Conecte-se com o seu ritmo, com o seu palpitar, com a sua ilimitada energia, com a sua linguagem e os seus sentimentos próprios, por meio dos quais ele lhe fala. Responda com um SIM interior. À medida que lhe for possível, faça com que, de cada célula do seu corpo e do fundo do seu coração, surja um SIM libertador. Pense ou diga esse SIM para você mesmo — em voz alta ou baixa.

2. Imagine o seu coração como um ser vivo, um universo que tudo contém e liga sadiamente dentro de você. Veja, sinta, ouça o SIM ininterrupto que emana do seu coração para você, em cada célula do corpo, dos pés à cabeça, e mais além, em cada desvão da sua consciência.

3. Passado esse intervalo de um a três minutos, conecte o SIM à sua respiração. Respire no coração ao mesmo tempo que visualiza esse SIM em letras grandes e coloridas. Escolha as cores que lhe vierem espontaneamente aos sentidos. Expire ao mesmo tempo que espalha esse mesmo SIM, a partir do espaço do coração, em todo o seu corpo e além dele, em todas as direções.

Concentre-se o mais amiúde possível nesse espaço do coração, no seu centro mais íntimo. Aí, do tamanho da cabeça de um alfinete, encontra-se o germe da sua existência, que a cada instante espera ser reativado, voltar à vida e ao florescimento. O sábio Ramana Maharshi descreve esse ponto como "a sede do nosso eu, pequena como a cabeça de um alfinete, mas capaz de conter o universo inteiro [...]".

Será assombroso o efeito que essa atenção sem esforço, em conexão com o SIM libertador, terá sobre você, sobre a sua vida profissional e sobre os seus vínculos interpessoais. E mais: exatamente nesse ponto, espera-o algo que não se pode exprimir em palavras: a verdade suprema, o segredo mais profundo, no centro do seu ser, da sua humanidade. *Algo* que tudo permeia invencível, indestrutível e eternamente.

O SIM lhe permite voltar a entrar, pouco a pouco, em contato com aquilo que mora no seu íntimo mais profundo e que está em conexão direta com a sua realidade superior: a sua herança congênita, a "criança cósmica interior".

A libertação verdadeira e duradoura só pode ocorrer se você se permitir o SIM incondicional, se for capaz de tomar a você mesmo nos braços novamente, com tudo o que é agora, com tudo que aconteceu e há de acontecer. Então, conseguirá sintonizar-se cada vez mais com o pulsar de Deus Pai e da Grande Mãe. É possível que volte a reconhecê-los como os seus verdadeiros pais. Ao mesmo tempo, poderá harmonizar e equilibrar o seu ritmo vital exterior, limitado pelo tempo, com o ritmo e o espaço ilimitado da sua essência mais interior, da sua criança cósmica.

O nascimento da alegria

Devo soltar
aquilo a que estou preso.
Enquanto eu encarei esse fato
como uma perda para mim,
fui infeliz.
Mas, assim que o vi sob o aspecto
de que a verdadeira vida se liberta no soltar,
a alegria e a paz profunda me inundaram o espírito.

RABINDRANATH TAGORE

Por mais que você seja poderoso e rico no mundo exterior — uma vida sem coração, sem alegria e sem amor é oca e vazia. A aceitação da sua sombra permite-lhe mergulhar no fundo do seu corpo, em pleno coração. Trata-se do lugar em que coincidem o ponto de interseção e o crisol. Trata-se do espaço em que intelecto e intuição, coração e entendimento, céu e terra, tempo e intemporalidade se fundem. É lá que masculino e feminino, carne e espírito, o aqui e o além se encontram.

Você consegue entender que a cura duradoura só pode provir desse espaço, que a cura verdadeira não se dá senão nessa sua origem, na qual um mundo existe dentro do outro? Ela jorra da fonte, do centro mais interior desse templo vivo da cura que é o seu corpo. Você pode experimentar elixires miraculosos, plantas medicinais e supervitaminas, cristais ou táquions, essências e campos magnéticos. Pode consultar gurus, médicos, curandeiros e os mais diversos terapeutas do corpo e da alma, na esperança de que eles providenciem a sua cura e o seu "retorno", enquanto você persiste no papel de vítima passiva. No entanto, todos esses métodos de cura, que deviam aproximá-lo da sua derradeira paragem, não passam de muletas provisórias. Ajudam-no e o acompanham tanto quanto eu. Possibilitam-lhe as mais diversas experiências. Mas o único capaz de dar o último passo rumo à sua origem é você. Ninguém pode dá-lo em seu lugar. Nem mesmo você consegue "fazer" isso. Todos os seus acompanhantes e todos os métodos podem apenas ajudá-lo a aplainar o caminho, de modo que ocorra a chegança.

Até lá, eu lhe recomendo viver conscientemente, tomar consciência da plenitude da vida em todos os momentos — tanto quanto lhe for possível — e viver-se totalmente no seu corpo. Se, no caminho, você reconhecer as suas facetas luminosas e as sombrias como parte da sua verdade, passará por uma das transformações mais profundas da vida: o autoconhecimento, o perdão, a compaixão, a liberdade. Então, sim, será uma pessoa inteira. Agora toda a escala das possibilidades humanas está aberta para você, com seus altos e baixos. Você adquiriu mais autenticidade e veracidade. A criatividade e a intuição, a força vital, o amor e a alegria espontânea voltaram a jorrar e fluir em você e no seu meio imediato. Você acaba de nascer para uma nova realidade.

Talvez ainda se sinta como uma parteira recebendo um recém-nascido neste mundo — o amadurecimento do coração não ocorre, necessariamente, como um salto quântico. Pode muito bem ser um lento tatear, um avanço progressivo. Quanto mais você viver momentos de alegria e compaixão, mais amiúde as ondas do amor lhe inundarão o coração.

Despertar a força curativa do coração significa deixar-se levar para além do seu pequenino e limitado eu, para um amor sem medo, sem condições, sem motivo e sem razão. Pois a razão não tem coração e o coração não tem razão. Significa progredir do amor com reservas para o amor incondicional. Você passa a amar sem motivo e sem razão, independentemente de receber amor ou mesmo estima em troca. Passa a amar apenas pelo amor. Simplesmente deixa que ele jorre dentro de você sempre que lhe for possível.

Pode ser que, às vezes, a dor do parto do coração lhe pareça insuportável. Pois você sempre estará enfrentando o desafio do soltar. Perderá pessoas que ama. Perderá coisas que amou. No fim da jornada da vida, perderá tudo o que amava. Porque o coração desperto é o elevar-se da ilusão do amor para o amor verdadeiro. E isso exige o máximo de força, o máximo de coragem. Para tanto, é preciso compreender a ilusão do amor pessoal e a transitoriedade do amor possessivo. Mas, graças a isso, você vai ganhar um grande tesouro: conhecerá a verdade do amor universal. A sua verdadeira herança, a sua criança cósmica, a sua alegria pura e primordial podem nascer. Você viverá o renascimento do seu eu. E reconhecerá o que significa realmente a imortalidade.

Descubra a sua criança cósmica

Toque na sua origem,
confie na sua intuição e espontaneidade

Este criativo exercício de visualização conecta-o com a criança cósmica que você trouxe consigo como herança e que só espera reviver para realizar, por seu intermédio, a sua espontaneidade, a sua intuição, a sua criatividade, assim como o seu amor não intencional.

1. Sente-se numa cadeira ou no chão e relaxe; encoste as pontas dos dedos no esterno. Respire branda e conscientemente. Sinta o seu esterno dilatar-se cada vez que você inspira e voltar a encolher-se lentamente quando você expira.

2. Após dois ou três minutos, imagine-se olhando num microscópio. Localize o centro cardíaco no fundo da sua cavidade torácica. Continue respirando, deixe a respiração levá-lo para o fundo, para o seu centro mais íntimo, para o coração do seu coração. Lá você depara com um rosto. Um rosto muito familiar, conhecido, e que agora lhe sorri com ternura. Sinta esse sorriso, ao mesmo tempo sábio e inocente, no fundo do seu coração. Seus olhos irradiam uma sabedoria e um conhecimento que não parecem ser apenas deste mundo e desta época.

3. Sorria também para esse rosto tão familiar e conhecido, ao mesmo tempo que segue respirando cuidadosa e suavemente. Ele responde com um movimento da cabeça. O rosto é o seu, o seu rosto original, verdadeiro, intemporal. Assinala a satisfação, a certeza e a confiança de que tudo o que você necessita está, sempre esteve e sempre estará aqui.

4. Depois de algum tempo, você descobre uma energia visível e sensível a jorrar do rosto da sua criança cósmica, uma luz pura, forte e dourada. Lentamente, ela vai ficando mais clara. A cada respiração, expande-se mais e mais. Talvez você tenha uma sensação de calor, serenidade, a sensação de ter chegado em casa, mesmo que, no começo, dure apenas alguns segundos.

5. Fique algum tempo nesse espaço. Não deixe de concentrar sua atenção na respiração. Procure ligar-se ao sorriso e ao conhecimento da sua criança cósmica. É a partir desse espaço que nos sentimos ligados ao mundo e a todos os seres vivos; trata-se daquele espaço em que não existe julgamento, nem culpa, nem medo, nem separação. É o seu verdadeiro lar, a estação de chegada do seu anseio, o lugar do amor puro, não intencional e incondicional.

6. Se, nesse momento, você quiser saber alguma coisa especial, abra-se para receber sinais ou impulsos de uma resposta. Essa resposta não precisa ser comunicada por meio de palavras ou pensamentos. Pode ser uma percepção súbita, uma lembrança ou um profundo sentimento de confiança, algo que está e sempre esteve aí, um conhecimento interior que volta a despertar em tais momentos e deseja revelar-se e libertar-se por seu intermédio.

A inteligência do coração

Viver profundamente
a realidade suprema
é algo tão forte
que a compreensão
de uma realidade convencional
passa a ser muito diferente.

DALAI LAMA

A presença da inteligência é maior quando ela está em repouso. Quando descansa, a razão fica inteiramente no presente. Então você se sente sereno, forte e desperto. Então consegue mergulhar com o raciocínio no seu coração e, lá, vinculando-se à sua origem, pode viver momentos de percepção pura, que o levam muito além do plano habitual do cotidiano. Vive uma ampliação da sua vida.

A inteligência do coração é uma força de coesão que une o corpo, o coração e o espírito. Isso significa pensar, ver, ouvir, falar e agir a partir do coração. Significa mergulhar nas profundezas do seu verdadeiro ser. Simultaneamente, aí você descobre a maior parte de você mesmo — descobre a sua origem, muito além do tempo e do espaço. E vê o que realmente existe em você, nos outros e no mundo. Mas essa visão é muito diferente da habitual, que não enxerga além da superfície, da limitada aparência. O seu olhar chega mais longe. Penetra mais profundamente. Atinge o núcleo e detecta o essencial. Você vê a realidade a partir de uma perspectiva ampliada, do espaço infinito, livre de toda valorização. A inteligência do coração não conhece julgamento nem crítica destrutiva. E se, livre de tais interpretações, você puder se ver, a si e ao mundo, eis que lhe será revelada a magia do ser, o milagre da existência.

O que então ocorre é o vínculo curativo entre o ventre, o coração e a cabeça, entre o intelecto e a intuição, entre o conhecimento e a sabedoria, entre o espírito e a matéria, entre o sentimento e a razão. É um estado em que todas as suas polaridades, todas as suas supostas contradições, desde que você as reconheça e aceite como parte de si mesmo, podem se integrar e reconciliar. Se tocar a inteligência do seu coração, você entrará em contato com a sua verdade ao mesmo tempo mais profunda e mais elevada, para a qual qualquer descrição verbal não serve senão de limitadíssimo ponto de referência.

Mas antes de seduzi-lo com novas promessas, eu quero lhe apresentar a respiração do coração. Se a praticar com regularidade, ela lhe possibilitará um aumento considerável da percepção, desenvolverá a sua capacidade de ver, ouvir e sentir com clareza. E você reconhecerá que isso que acaba de ler é mais do que meras palavras.

A respiração do coração

Aumente a energia cardíaca, desenvolva a inteligência espiritual — ver, ouvir, sentir com clareza

A respiração do coração liga-o ao seu núcleo essencial mais íntimo, à sua origem. Ajuda-o a desenvolver a sabedoria e força do coração e a libertar a alma.

1. Feche os olhos. Inspire e expire suave e profundamente pelo nariz. Imagine a respiração inundando exclusivamente o seu peito, o fundo da cavidade torácica. Deixe cada respiração consciente banhar-lhe o coração em energia pura.

2. Pouco a pouco, vá tornando a respiração mais lenta, profunda, intensa e redonda. Dirija-a ao espaço da caixa torácica em que você sente estreiteza, opressão, dureza e bloqueios. Podem surgir diversas sensações: medo, tristeza, solidão; mas também alegria, serenidade ou ternura. Simplesmente deixe-as ficarem aí. Ligue-se a esses sentimentos pela respiração, sejam eles quais forem. Eles fazem parte de você. Abrace-os como a um amigo querido e continue respirando — fundo, branda e redondamente — sem interrupção. Pronuncie interiormente o SIM libertador:

SIM — inspirar
SIM — expirar

Depois de algum tempo, você pode completar e ampliar a respiração do coração com a força da imaginação. Essa variante ampliada auxilia-o a ligar mais conscientemente a razão ao coração. A energia do coração e a inteligência espiritual podem se desenvolver, aumentar e libertar-se. Ao mesmo tempo, você desenvolve auto-aceitação, amor e compaixão.

1. Pensar com o coração

Imagine que, no fundo da sua caixa torácica, no centro do seu coração, há um cérebro. Visualize o seu coração e o seu cérebro fundindo-se, tornando-se um só. Sinta e, ao inspirar e expirar, diga interiormente as seguintes palavras:

"Pensar com o coração!"

Repita-as de três a cinco vezes.

2. Ver com o coração

A seguir, visualize um olho no centro do seu coração, na sua cavidade torácica, um olho do tamanho e da cor que lhe forem adequados. Trata-se de um olho especial, radioso. É o seu olho da sabedoria, capaz de enxergar à distância infinita e, ao mesmo tempo, nas maiores profundezas. Ao inspirar e ao expirar, diga interiormente:

"Ver com o coração!"

Repita-as de três a cinco vezes.

3. Ouvir com o coração

Visualize agora um ouvido do tamanho que lhe convier no centro do seu coração. É o seu ouvido que ouve tudo quanto sussurra a voz da intuição. Sinta e diga intimamente, ao inspirar e ao expirar:

"Ouvir com o coração!"

Repita-as de três a cinco vezes.

4. Falar com o coração

Continuando, visualize uma boca do tamanho que lhe parecer conveniente no centro do seu coração, no fundo da sua caixa torácica. É a sua boca, por entre cujos lábios fluem as palavras da inteligência superior. Sinta e pronuncie interiormente, cada vez que inspirar e expirar:

"Falar com o coração!"

Repita as palavras de três a cinco vezes.

5. Agir com o coração

A seguir, visualize uma mão no centro do seu coração. Trata-se da sua mão curativa, que o toca, assim como aos seus semelhantes e a todo o mundo. É a mão criativa que, a partir da alegria do seu coração, dá presentes criativos e curativos. Ao inspirar e ao expirar, mencione intimamente:

"Agir com o coração!"

Repita as palavras de três a cinco vezes.

Se praticar a respiração do coração regularmente durante algum tempo, você poderá ativar a magia do seu coração e desenvolver-lhe a sabedoria e a inteligência infinitas. Em breve, ser-lhe-á possível perceber-se a si e aos seus semelhantes a partir de outra perspectiva: mais clara, mais cheia de amor e compaixão. Você pode também experimentar os passos de um a cinco isoladamente. Brinque, experimente, aceite a dinâmica própria da sua criatividade. Você já não é um novato.

Você está em casa no coração do mundo, e o mundo se abriga no seu coração. Trata-se do estado que os místicos de todas as épocas tentaram descrever. Trata-se do renascimento do coração — de um coração que percebe coisas que você não apreende com os sentidos e não entende com a razão. Você vê com o olho do coração. Ouve a voz da intuição, e os seus lábios dizem palavras de uma verdade que já nada tem a ver com a tagarelice do seu intelecto.

Você se comunica a partir de um espaço de extensão ilimitada e caudalosa abundância — o espaço da descoberta sem fim. Isso significa que você se tornou consciência universal. E, nesse momento, percebe também que todo o Universo é um produto da sua razão. Tudo o que vê provém de você. É criação sua. O mundo é o espelho da sua criação.

Mesmo que essa vivência inefável lhe seja dada apenas temporariamente, nesses momentos você descobre que já não há nada que desejar. É a estação de chegada da sua aspiração. Tudo está aqui. Tudo está realizado. As limitações e as condições se transformam subitamente em incondicionalidade. Todo o fazer torna-se instantaneamente desnecessário e se converte, por si só, em deixar acontecer.

O lótus do coração

Desperte o seu coração

Agora você chegou ao umbral. Pode adentrar o espaço em que a solidão se transforma em unidade de tudo. A nossa viagem se iniciou com o símbolo da flor de lótus. Ela simboliza a sua transformação e a sua pureza espiritual. Na filosofia asiática, o lótus é o símbolo máximo da totalidade, a fonte de todas as manifestações. "Om mani padme hum", um dos mais conhecidos mantras budistas, significa: "Oh, jóia no coração do lótus." Com esse símbolo e as palavras do sutra do coração, eu me despeço de você.

1. Concentre uma vez mais a atenção no centro do coração. Visualize nele, como no começo da nossa viagem, um delicado botão de flor de lótus. A cada respiração, ele começa a se abrir pouco a pouco, pétala por pétala. A flor cresce e se desdobra em todo o espaço do seu coração. Dê a ela a cor que mais combina com você neste momento — branca talvez, ou quem sabe amarela ou rosada ou salmão. Imagine que a energia sutil das pétalas suavemente coloridas toca e cura as antigas mágoas, feridas e cicatrizes. E que a maravilhosa flor aciona em você uma consciência profunda de gratidão e compaixão por todos os seres vivos, por toda a Criação. Nesse espaço, estando ligado a tudo quanto existe, com essa meditação você se cura e, ao mesmo tempo, cura o mundo inteiro.

2. Mergulhe profundamente no centro da flor, no centro dourado do pólen. Talvez aí você descubra, a cada vez, um pouco mais sobre aquilo que é invulnerável, imortal e universal — *aquilo* que sempre deseja renascer por seu intermédio: a sua essência pura.

O sutra do coração

Liberte o seu coração

Gate — Segue adiante
Gate — Segue adiante
Paragate — Vai mais além
Parasamgate — Vai completamente mais além
Bodhi Svah — Sê firmemente alicerçado no espírito puro

O sutra do coração cura e transforma o seu coração e aumenta a compaixão pela Criação. Suas palavras o conduzem diretamente àquele espaço em que já não é necessária nenhuma palavra.

Gate Gate Paragate Parasamgate Bodhi Svah
Gate — segue adiante
refere-se ao caminho da concentração.

Gate — segue adiante
refere-se ao caminho da preparação.

Paragate — vai mais além
indica a transição do plano terreno para o espiritual. A dualidade é superada.

Parasamgate — vai completamente mais além
no espaço em que tocamos o vazio.

Bohdi Svah — Sê firmemente alicerçado no espírito puro
Aqui chegamos ao plano do espírito puro, a fonte e a essência.

Conclusão

Querida leitora, querido leitor
Querido praticante e companheiro de viagem,

A nossa viagem comum terminou.
Eu agradeço a sua confiança.
Reconheço o seu potencial.
Admiro a sua coragem, a sua perseverança e a sua força.
Respeito os seus limites.
Estimo a sua sinceridade.

De todo o coração, desejo-lhe muito sucesso, muita felicidade e inspiração para vivenciar aquilo que agora já não se pode comunicar com palavras. Pois nisso está o essencial: a vivência do último segredo pelo qual vale a pena viver.

É a descoberta da sua imortalidade.

É a experiência da sua origem, o mergulho em sua fonte.

É o seu amor infinito, que fala através de todas as suas ações humanas.

É o chamado da sua realidade transcendente, que deseja se ligar ao mundo dos fenômenos, ao seu coração, ao coração de todos os seres vivos.

É a sua essência, a sua verdadeira natureza, que, através de todos os seus sentidos, deseja ser vivida e realizada no seu mundo visível, audível e sensível!

Apêndice

Lista de exercícios

O lótus de mil pétalas — 18
Relaxe o cérebro e abra-se para a inspiração da sua inteligência criativa

O exercício CCM —19
Harmonizar os pensamentos, os sentimentos e os atos

A viagem da luz pelo corpo — 26
Viva a inteligência intuitiva do seu corpo

A meditação dos Cinco "Tibetanos"® para o corpo — 35
Confie na sabedoria ilimitada do seu corpo

Dizer SIM para os meus sentimentos —54
Aceite a energia e a força dos seus sentimentos

Exercício de tolerância e compaixão —56
Aumente a sua capacidade de intuir

Descubra o seu observador interior — 57
Eduque a sua atenção, aumente a sua percepção

A respiração solar — 62
Mate a sede na fonte da vida

Desenvolva uma energia curativa — 63
Ative o médico em você

A cura dos órgãos genitais — 64
Livre-se das velhas mágoas

A onda respiratória — 67
Encontre o equilíbrio entre receber e dar

Os Cinco Ritos mentais — 70
Descubra o milagre do seu poder de imaginação
em conexão com a respiração

Meditação respiratória — 77
Reconheça e concilie as suas contradições

A oração respiratória — 79
Experimente-se como co-criador

Uma carta importante — 86
Reconcilie-se com os seus pais

A meditação da rosa — 90
Cure os seus sentimentos

A chama violeta — 93
Perdoe-se a si mesmo e liberte-se dos
emaranhamentos limitadores

A respiração da cruz — 94
Concentre-se no seu centro e
dilua os seus sentimentos de culpa

Dizer SIM para você — 100
Seja você mesmo

Descubra a sua criança cósmica — 104
Toque na sua origem,
confie na sua intuição e espontaneidade

A respiração do coração — 107
Aumente a energia cardíaca, desenvolva a inteligência
espiritual — ver, ouvir, sentir com clareza

O lótus do coração — 111
Desperte o seu coração

O sutra do coração — 112
Liberte o seu coração

Bibliografia

ADAMS, Robert. *Stille des Herzens, Dialoge mit Robert Adams.* Bielefeld: J. Kamphausen.

BARNETT, Michael e MAGYAROSY, Maruscha. *Michael Barnetts 12 Diamanten.* Ahlerstedt: Param.

MAGYAROSY, Maruscha, *Intelligenz des Herzens durch die Fünf "Tibeter"*®. Berna, Munique, Viena: Scherz.

________ , *Das Paradies ist in Dir.* Berna, Munique, Viena: Integral, Scherz.

________ . *Der Dalai Lama und das Mitgefühl.* Ahlerstedt: Param.

________ . *Ich finde mich.* Wessobrunn: Integral.

MILLMAN, Dan. *Erleuchteter Alltag.* Munique: Ansata.

NADEEN, Satyam. *Von der Zwiebel zur Perle.* Bielefeld: J. Kamphausen.

ROTH, Gabrielle. *Totem, gelebter Schamanismus.* Munique: Heyne.

SATPREM. *Der kommende Atem.* Einsiedeln: Daimon.

________ . *Leben ohne Tod.* Seeon: Ch. Falk.

________ . *Das Mental der Zellen.* Einsiedeln: Daimon.

SOGYAL Rinpoche. *Funken der Erleuchung.* Berna, Munique, Viena: O. W. Barth.

ZOHAR, Danah e MARSHALL, Ian. *SQ, Spirituelle Intelligenz.* Berna, Munique, Viena: Scherz.